SUR L'APOCALYPSE

suivi du
FRAGMENT CHRONOLOGIQUE
et de
LA CONSTRUCTION DU MONDE

SOURCES CHRÉTIENNES

N° 423

VICTORIN DE POETOVIO

SUR L'APOCALYPSE

suivi du
FRAGMENT CHRONOLOGIQUE
et de
LA CONSTRUCTION DU MONDE

INTRODUCTION, TEXTE CRITIQUE,
TRADUCTION, COMMENTAIRE ET INDEX

PAR

M. DULAEY

Professeur à l'Université d'Amiens

LES ÉDITIONS DU CERF, 29 Bd de Latour-Maubourg, Paris 7ᵉ
1997

*La publication de cet ouvrage a été préparée avec le concours
de l'Institut des « Sources Chrétiennes »
(UPRESA 5035 du Centre National de la Recherche Scientifique)*

© *Les Éditions du Cerf, 1997.*
ISBN : 2-204-05738-X
ISSN : 0750-1978

ABRÉVIATIONS ET SIGLES

TWNT   *Theologisches Wörterbuch zum Neuen Testament*, Stuttgart.

VChr   *Vigiliae Christianae*, Amsterdam.

VP   DULAEY M., *Victorin de Poetovio. Premier exégète latin*, t. 1-2, Paris 1993.

W-W   WORDSWORTH J. et WHITE H.J., *Novum Testamentum domini nostri Jesu Christi secundum editionem sancti Hieronymi*, III, 3, *Apocalypsis* (H.F.D. Sparks), Oxford 1954.

BIBLIOGRAPHIE

Cette bibliographie se borne aux travaux concernant directement Victorin. On trouvera de plus amples indications dans notre *Victorin de Poetovio*.

Études d'ensemble

ASS, nov. 1, p. 432-443 (Van Hoof, 1887).

BARDY G., art. « Victorin de Poetovio », *DTC* 15 ², 1950, c. 2882-2887.

BRATOZ R., « Viktorin Ptyjski in njegova doba », *Acta Ecclesiastica Sloveniae* 8, Lubliana 1986, p. 276-335.

CURTI C., art. « Vittorino di Petovio », *DPAC* 2, 1983, c. 2543-2545.

DULAEY M., art. « Victorin de Poetovio », *DSp* 16, 1992, c. 553-558.

— ,*Victorin de Poetovio. Premier exégète latin,* t. 1-2, Paris 1993.

HAUSSLEITER J., art. « Victorinus von Pettau », *RE* 20, 1908, c. 614-619.

— ,*CSEL* 49, p. VII-LXXIV.

QUASTEN J., *Initiation aux Pères de l'Église,* t. 2, Paris 1956, p. 487-490.

SCHUSTER M., art. « Victorinus von Pettau », *PW* 8A ², 1958, c. 2081-2085.

WLOSOK A., art. « Victorinus von Pettau », dans *Handbuch der lateinische Literatur* (R. Herzog et P.-L. Schmidt éd.), t. 5, Munich 1989, p. 410-415.

ZEILLER J., *Les origines chrétiennes dans les provinces danubiennes de l'Empire romain,* Paris 1918, p. 65-67 ; 206-214.

Autres ouvrages

BIELER L., « The "Creeds" of Victorinus and St Patrick », *ThSt* 9, 1948, p. 121-124.

CURTI C., « Il regno millenario in Vittorino di Poetovio », *Augustinianum* 18, 1978, p. 419-433.

DANIÉLOU J., *Les Origines du christianisme latin,* Paris 1978, p. 114-116.

DIAZ Y DIAZ C., « El pseudoieronimiano "De aduentu Henoch" », *Überlieferungsgechichtliche Untersuchungen* (*TU* 125), Berlin 1981, p. 141-148.

DULAEY M., « Victorin de Poetovio est-il l'auteur de l'opuscule sur l'Antéchrist publié par A.C. Vega ? », *RSLR* 21, 1985, p. 258-261.

—, « Jérôme, Victorin et le millénarisme », dans *Jérôme entre l'Occident et l'Orient* (Y.-M. Duval éd.), Paris 1988, p. 83-98.

—, « Jérôme "éditeur" du *Commentaire sur l'Apocalypse* de Victorin de Poetovio », *REAug* 37, 1991, p. 199-236.

—, « Le fragment chronologique de Victorin de Poetovio et la culture grecque aux confins de l'Empire dans la seconde moitié du IIIᵉ siècle », dans *Charisteria Augustiniana,* Mélanges J. Oroz Reta, Madrid 1993, p. 203-219.

FISCHER J., « Die Einheit der beiden Testamente bei Laktanz, Victorinus von Pettau und deren Quellen », *Münchener Theologische Zeitschrift* 1, 1950, p. 96-101.

HANSON R.P.C., « Patrick and the "mensura fidei" », *Studia Patristica* 10, p. 109-111.

—, « The Rule of faith of Victorinus and of Patrick », dans Mélanges L. Bieler, Leiden 1978, p. 24-36.

MEHLMANN J., « Tertulliani Apologeticum a Victorino Petavionensi citatum », *Sacris Erudiri* 15, 1964, p. 413-419.

MORIN G., « Notes sur Victorin de Poetovio », *JThS* 7, 1905-1906, p. 456-457.

SARIA B., art. « Poetovio », *PW* 21 ¹, 1951, c. 1167-1184.

WILMART A., « Un anonyme ancien *De X uirginibus* », *BALAC* 1, 1911, p. 35-49.

Ouvrages de référence

ALLO E.B., *Saint Jean. L'Apocalypse*, Paris 1933.

BRAUN R., *Deus christianorum. Recherches sur le vocabulaire doctrinal de Tertullien*, Paris 1962.

DANIÉLOU J., *Les Symboles chrétiens primitifs*, Paris 1951.

—, *Théologie du judéochristianisme*, Paris 1958.

ERNOUT A. et MEILLET A., *Dictionnaire étymologique de la langue latine*, Paris 1959.

ERNOUT A. et THOMAS F., *Syntaxe Latine*, Paris 1959.

PRIGENT P., *L'Apocalypse de Saint Jean*, Lausanne-Paris 1981.

—, « Hippolyte commentateur de l'*Apocalypse* », *ThZ* 28, 1972, p. 391-412.

PRIGENT P. et STEHLY R., « Les fragments du *De Apocalypsi* d'Hippolyte », *ThZ* 29, 1973, 313-333.

STRACK H. et BILLERBECK P., *Kommentar zum NT aus Talmud und Midrash*, 6 vol., Munich 1922-1963.

VOGELS H., *Untersuchungen zur Geschichte der lateinischen Apokalypse Übersetzung*, Düsseldorf 1920.

WORDSWORTH J. et WHITE H.J., *Novum Testamentum domini nostri Jesu Christi secundum editionem sancti Hieronymi*, III, 3, *Apocalypsis* (H.F.D. Sparks), Oxford 1954.

INTRODUCTION

I. Saint Victorin, Évêque de Poetovio et Exégète

1. Un évêque pannonien du IIIᵉ siècle

S'il y a plusieurs mentions de l'œuvre de Victorin chez les écrivains anciens, Jérôme est le seul qui, dans son *De uiris illustribus*, lève tant soit peu le voile de mystère qui plane sur lui : il fut, nous dit-il, évêque de Poetovio [1]. La ville est située en Pannonie, et le Dalmate se sent proche de cet autre citoyen des provinces de l'Europe centrale : il l'appelle volontiers « Victorinus noster [2] ».

Sur la période où vécut Victorin, Jérôme est des plus vague. On dit souvent que son épiscopat s'est déroulé dans le dernier quart du IIIᵉ siècle. Il convient de modifier cette datation : le *Commentaire sur l'Apocalypse* paraît avoir été écrit sous Gallien vers 258-260, et ce n'est pas la première des œuvres de notre auteur [3].

Victorin mourut martyr. Lors de quelle persécution ? Jérôme se contente d'écrire qu'« *à la fin*, il reçut la couronne du martyre [4] ». Procédant à des déductions analogues aux nôtres — car il n'a visiblement pas à sa disposition d'autre document que le texte de Jérôme —, Usuard précise dans

---

1. JÉRÔME, *Vir. ill.* 74 (éd. Richardson, *TU* 14, p. 40, 25) : cf. p. 19, n. 2. Poetovio est l'actuelle Ptuj, en Slovénie.

2. JÉRÔME, *Epist.* 36, 6 (éd. Labourt, t. 2, p. 63, 7) ; *VP*, p. 13-15.

3. Pour la date couramment acceptée, cf. A. HARNACK, *Geschichte der altchristlichen Literatur bis auf Eusebius*, t. 2, Leipzig 1904, p. 427 ; J. ZEILLER, *Les Origines chrétiennes...*, p. 66 ; *VP*, p. 11-12 ; 219-221.

4. JÉRÔME, *Vir. ill.* 74 (éd. Richardson, *TU* 14, p. 40, 25) : « Ad extremum martyrio coronatus est ».

son *Martyrologe* que Victorin fut martyrisé durant la persécution de Dioclétien [1]. On retient généralement qu'il mourut au début de la persécution de Dioclétien, en 304. Il pourrait à vrai dire avoir témoigné de sa foi dans une persécution antérieure : une persécution de Numérien n'est pas impossible en ces régions en 283-284 [2].

Quoi qu'il en soit, Victorin figure toujours au *Martyrologe Romain* au 2 novembre [3]. Cette date, qui provient du *Martyrologe d'Usuard*, n'était pas celle du martyre de notre saint, mais celle de la translation de ses reliques depuis Lorch [4]. C'est probablement dans cette ville qu'après la destruction de leur cité (vers 472), des citoyens de Poetovio avaient cherché refuge en emportant les reliques de leur saint patron [5].

Notre évêque porte un nom latin : Victorinus. Aussi est-il vraisemblable qu'il était pannonien d'origine, et non pas grec, comme on l'a parfois dit à cause d'un mot de Jérôme, disant qu'il savait le latin moins bien que le grec [6]. Il sait en fait bien peu de choses de l'homme, et son assertion n'a d'autre fondement que la lecture de l'œuvre : il jugeait son latin mauvais et sa culture grecque très supérieure à la moyenne ; il en aura inféré son origine orientale. Il ne cite toutefois de lui que des ouvrages rédigés en latin ; et Eusèbe

---

1. J. DUBOIS, *Le Martyrologe d'Usuard*, Bruxelles 1965, p. 334 ; ADON, *PL* 123, 389 ; H. QUENTIN, *Les Martyrologes historiques du Moyen-Age*, Paris 1908, p. 310 ; 223.

2. *Acta Ecclesiastica Sloveniae* 8, p. 361-363 (R. BRATOZ, Ljubljana 1986). P. ALLARD, *Les Dernières persécutions du IIIe siècle*, Paris 1907, p. 322-325.

3. H. DELEHAYE, *Martyrologium Romanum*, Bruxelles 1940, p. 491.

4. En Autriche, près d'Enns. Cf. *ASS*, 2 Nov. p. 442-443 ; R. BRATOZ, « Viktorin Ptyjski... », p. 283, n. 27.

5. B. SARIA, art. « Poetovio », c. 1176, 60-70 ; P. RÉGERAT, Introduction à EUGIPPE, *Vie de Saint Séverin* (SC 374), p. 63.

6. JÉRÔME, *Vir. ill.* 74 (éd. Richardson, *TU* 14, p. 40, 25) : « Victorinus Petabionensis episcopus non aeque Latine ut Graece nouerat. »

de Césarée, qui connaît généralement les Occidentaux qui
ont composé quelque ouvrage en grec, ignore tout de notre
auteur.

Il est certain que Victorin n'avait pas reçu la formation
rhétorique classique, ce qui n'eût point manqué d'être le cas
s'il avait été issu de la bonne société romaine de Poetovio.
Homme d'origine modeste sans doute, autodidacte peut-
être, il avait toutefois acquis une culture chrétienne d'une
réelle ampleur, à laquelle semble n'avoir pas peu contribué
un séjour à Jérusalem, où il aurait fréquenté — sous
Gallien ? — la bibliothèque fondée par l'évêque Alexandre
au début du siècle [1].

2. L'Église de Poetovio

A l'époque de Victorin, Poetovio était une ville importante, siège du gouverneur de la province de Pannonie supérieure [2]. La ville, érigée en colonie par Trajan, s'était vue
dotée sous Hadrien d'un pont de pierre enjambant la Drave.
Florissante, tant par son industrie que par la richesse de la
région agricole dans laquelle elle était sise, elle devait surtout son importance à l'existence d'un gros port fluvial et
d'un important nœud routier. La cité avait des liens com-
merciaux étroits non seulement avec les Gaules et le centre
de l'Europe, mais aussi avec l'Italie et l'Orient [3].

La population de la colonie romaine était très cosmopo-
lite : des fonctionnaires impériaux originaires d'Italie, car la

---

1. M. DULAEY, « Le fragment ... », p. 127-145.
2. A. MOCSY, art. « Pannonia », *PW* Suppl. 9, 1962, c. 516-776 ;
B. SARIA, art. « Poetovio », c. 1167-1184 ; I. MIKL-CURK, « Poetovio in der
Spätantik », *Arheoloski Vestnik* 29, 1978, p. 405-411 (résumé allemand
p. 410-411). Cf. *VP*, p. 11-14.
3. B. SARIA, art. « Poetovio », c. 1182-1183 ; A. MOCSY, art.
« Pannonia », *PW* Suppl. 9, 1962, c. 708-710.

ville était la plus importante station douanière de la province ; de très nombreux orientaux, surtout des commerçants ; des soldats de provenance diverse — il y avait trois légions en Pannonie [1]. On n'y boudait pas les cultes orientaux : il y avait des sectateurs du culte de Mithra, des fidèles d'Isis et de Cybèle dans la capitale de la province [2].

A Poetovio, toutes les traces de christianisme sont postérieures à l'époque de Victorin. Certains ont soutenu que la foi nouvelle n'avait pas pénétré dans la région avant le règne de Gallien ; d'autres pensent qu'il y avait des chrétiens dans la ville depuis une époque beaucoup plus reculée [3]. La lecture de l'œuvre de Victorin confirme l'idée qu'à l'époque où il en est l'évêque, l'Église de Poetovio n'est pas de fondation récente [4]. La ville paraît avoir été évangélisée tant à partir de l'Italie du Nord — les liens avec Aquilée sont nombreux — que par l'Orient [5].

3. L'œuvre exégétique

Si les anciens savaient peu de choses de l'homme, ils ont beaucoup lu son œuvre jusqu'aux Ve-VIe siècles : Jérôme mentionne vingt-deux fois Victorin, et on le connaissait à Rome, dans le Nord de l'Italie, en Afrique, en Espagne [6].

---

1. M. PAVAN, « La provincia romana della Pannonia superiore », *Atti dell'Accademia Nazionale dei Lincei* 352 (ser. 8, memorie 6), 1955, p. 510-533.

2. B. SARIA, art. « Poetovio », c. 1182-83 ; E. WILL, « Les fidèles de Mithra à Poetovio », *Adriatica preistorica e antica*, Mélanges G. Novak, 1970, p. 633-8.

3. A. MOCSY, art. « Pannonia », *PW* Suppl. 9, 1962, c. 750. J. ZEILLER, *Les origines chrétiennes...*, p. 66 ; *VP*, p. 14-15.

4. A. MOCSY, art. « Pannonia », *PW* Suppl. 9, 1962, c. 750-751 ; *VP*, p. 221-222.

5. *VP*, p. 370-371.

6. *VP*, p. 15-16.

Aux yeux de Jérôme, l'évêque de Poetovio était une des
« colonnes de l'Église » ; il estimait ses travaux et savait à
l'occasion en recommander la lecture, en dépit des réserves
qu'il faisait sur son style [1].

L'œuvre était essentiellement exégétique. Nos renseigne-
ments les plus complets à cet égard proviennent de la notice
que le *De uiris illustribus* de Jérôme consacre à notre auteur :
« Victorin, évêque de Poetovio, n'était pas aussi familier
avec le latin qu'avec le grec. Aussi, ses œuvres ont beau ren-
fermer des idées sublimes, elles paraissent banales à cause de
sa manière d'écrire. Ce sont les suivantes : *Commentaires
sur la Genèse, sur l'Exode, sur le Lévitique, sur Isaïe, sur
Ézéchiel, sur Habacuc, sur l'Ecclésiaste, sur le Cantique des
cantiques, sur l'Apocalypse de Jean, Contre tous les hérétiques,* et beaucoup d'autres encore [2] ».

On peut faire pleinement confiance à cette notice, car
Jérôme avait lu personnellement la plupart des œuvres qu'il
y mentionne [3]. Elle montre que Victorin abordait tous les
aspects de la Bible ou presque : la Loi, les Prophètes, les
Livres sapientiaux, et le Nouveau Testament. Seuls les livres
historiques semblent négligés. Mais la liste de Jérôme n'est
pas exhaustive, comme lui-même l'indique : il y a « beaucoup d'autres œuvres. » Parmi elles, un *Commentaire sur
Matthieu,* mentionné ailleurs par le Stridonien [4].

De certains des ouvrages perdus, on peut avoir une idée
grâce au témoignage de ceux qui les ont utilisés dans l'anti-

---

1. *VP*, p. 16-17.
2. JÉRÔME, *Vir. ill.* 74 (p. 40, 25-41) : « Victorinus Petabionensis episcopus non aeque Latine ut Graece nouerat. Vnde opera eius grandia sen-
sibus uiliora uidentur compositione uerborum. Sunt autem haec : com-
mentarii in Genesim, in Exodum, in Leuiticum, in Esaiam, in Ezechiel,
in Abacuc, in Ecclesiasten, in Canticum canticorum, in Apocalypsim
Iohannis, Aduersum omnes haereses et multa alia. »
3. *VP*, p. 333-338.
4. *VP*, p. 63-65.

quité [1]. Le *Commentaire sur la Genèse* avait, selon Jérôme, exploité l'œuvre d'Hippolyte, et le *Commentaire sur l'Ecclésiaste* s'inspirait d'Origène ; l'analyse des vestiges que nous avons de ces traités confirme amplement ces dires [2]. D'ailleurs, sur les neuf ouvrages exégétiques imputés à Victorin, huit concernaient des livres bibliques commentés par Origène, et deux autres, des auteurs expliqués par Hippolyte. A l'Alexandrin, Victorin reprend surtout ce qu'il avait de plus traditionnel : les interprétations typologiques ; l'allégorie origénienne ne semble pas l'avoir beaucoup marqué, du moins au vu de ce qui nous reste de l'œuvre. Ce qu'on peut restituer des commentaires sur *Isaïe*, sur *Ézéchiel* et sur *Matthieu*, montre toujours le même intérêt pour une exégèse figurée et spirituelle, qui souligne les étroites relations existant entre les deux Testaments.

Les traités de Victorin sont tous perdus, à l'exception d'un bref extrait sans titre (appelé par les modernes *Fragment chronologique*), du *De fabrica mundi*, et du *Commentaire sur l'Apocalypse*.

II. LES VESTIGES DE L'ŒUVRE

1. Le *Fragment chronologique*

Quelques lignes concernant la chronologie des événements de l'Incarnation ont été transmises sous le nom de Victorin par un manuscrit de Bobbio du IXe siècle conservé à la Bibliothèque Ambrosienne de Milan (Bibl. Ambros. *H 150 f*, fol. 137v-138r). Un manuscrit padovan du XVe siècle en donne une autre version, attribuée à Jérôme (Padoue,

---

1. *VP*, p. 51-67.
2. *VP*, p. 51-57 et 61-63.

Bibl. Univ. *1473*, fol. 164) [1]. Nous avons montré qu'il faut retenir le texte donné par le manuscrit le plus ancien, mais en considérant comme une interpolation les lignes qui donnent les dates de l'Ascension, de la naissance de Jean-Baptiste et de l'Annonciation, qui ne figurent pas dans le manuscrit de Padoue [2].

Le Victorin auquel le manuscrit de Bobbio attribue le fragment est très probablement l'évêque de Poetovio. En effet, l'auteur des lignes citées est quelqu'un qui a connaissance de traditions grecques anciennes, et dont le style est aussi elliptique que celui de notre écrivain. Il est fasciné, comme le Pannonien, par la signification typologique des dates de la vie du Christ. Si le fait est relativement fréquent dans l'antiquité, il est beaucoup plus rare que cette symbolique ait pour base un calendrier identique. Or, le fragment s'efforce de prouver qu'Annonciation et Résurrection ont eu lieu un même jour de l'année, le 25 mars (*VIII Kal. Apr.*) : il se trouve justement que le *De fabrica mundi* (ch. 9) établit la même correspondance, peu fréquente dans l'antiquité.

Il y a plus encore : le *Fragment chronologique* et Victorin s'accordent pour affirmer que le Christ a vécu non pas 33 ans, mais 49. En effet, selon le *Fragment,* Jésus est né sous le consulat de Sulpicius Camerinus, lequel exerça sa charge en 9 de notre ère avec C. Poppaeus Sabinus, et qu'il est mort lors du consulat exercé conjointement par Valerius Messalla Corvinus et l'empereur Néron, dont c'était le troisième consulat, soit en l'an 58 [3]. Cela donne donc une durée de vie de 49 ans. Or, Victorin croit également que le Christ a vécu jusqu'à la « vieillesse » (*occasus* : après 46 ans), et, plus pré-

---

1. E. VON DOBSCHÜTZ, *Kerygma Petri*, dans *TU* 11 [1], 1894, p. 136-137 ; G. MORIN, « Notes sur Victorin... », p. 458-459.

2. Cf. M. DULAEY, « Le fragment... », p. 127-145.

3. Analyse des dates consulaires dans DOBSCHÜTZ (*o. c., n. 1*).

cisément, que sa vie avait comporté sept phases qui, très
probablement, comptaient sept ans chacune, puisque sept
est chez lui le chiffre de l'humanité du Verbe [1]. Le chiffre de
49 ans ne se trouvant guère en dehors du *Fragment* et du
De fabrica mundi, pareille rencontre peut difficilement être
tenue pour le fruit du hasard.

Le *Fragment chronologique* prétend transcrire une chronologie très ancienne qui aurait été recueillie au début du
IIIᵉ siècle par l'évêque Alexandre de Jérusalem. En soi, la
chose n'a rien d'invraisemblable : c'est à la même époque
que Clément d'Alexandrie et Irénée compilent des traditions diverses de l'époque subapostolique pour les sous-
traire à la disparition qui les guette. Il n'est pas du tout
impossible que le fragment ait été compilé par Alexandre.
D'une part en effet il reflète des idées qui circulent au IIᵉ
siècle : la date qui est donnée pour celle de la naissance de
Jésus, en particulier (en l'an 9), apparaît chez les Aloges à la
fin du IIᵉ siècle au témoignage d'Épiphane de Salamine [2].
D'autre part, la chronologie longue de la vie du Christ
dérive, selon Irénée, d'une ancienne tradition d'Asie
Mineure ; quant à la date de Pâques au 25 mars — c'est plutôt la Passion qu'on place à cette date dans l'antiquité —,
elle correspond à une ancienne tradition quartodécimane
qui, d'après les dires d'Épiphane, avait cours en Cappadoce,
c'est-à-dire dans la patrie d'origine d'Alexandre de
Jérusalem [3].

Rien ne s'oppose donc à ce que l'évêque de Poetovio ait
effectivement transcrit des notes de l'évêque Alexandre. Si
c'est le cas, cela implique qu'il a eu accès à ses archives, et
donc qu'il a fréquenté la bibliothèque où elles étaient
conservées, c'est-à-dire la bibliothèque qu'il avait fondée à

---

1. Cf. M. DULAEY, « Le fragment... », p. 140-141.
2. *Ibid.,* p. 135-136.
3. *VP,* p. 136-137.

Jérusalem. Il se serait donc rendu en Palestine, profitant sans doute des relations de Poetovio avec l'Orient. L'exégète avait-il été attiré là-bas par les bibliothèques de Jérusalem et Césarée ? Quoi qu'il en soit, ce voyage à Jérusalem explique au mieux la bonne culture de notre auteur en matière d'exégèse grecque.

2. Le *De fabrica mundi*

Authenticité et genre littéraire

Ce petit traité, conservé dans un unique manuscrit du Xe-XIe siècle (Londres, Lambeth Palace *414*, fol. 71v-74v), avec l'incipit « Tractatus Victorini de fabrica mundi », a été au XVIIe siècle imputé par G. Cave, son premier éditeur, à Victorin de Poetovio, et ce à juste titre. En effet, outre le fait que l'auteur de l'opuscule est millénariste comme l'exégète pannonien (*Fabr.* 6), son exégèse se rencontre sur quatre points avec celle du *Commentaire sur l'Apocalypse* [1]. Le *De fabrica mundi* est probablement antérieur au commentaire [2] : en effet, à propos des vingt-quatre vieillards d'*Apoc.* 4, 4, *Fabr.* 10 donne encore l'exégèse traditionnelle, tandis que le *Commentaire sur l'Apocalypse* présente désormais une interprétation personnelle.

A quel genre littéraire appartient le traité ? Était-ce un sermon, comme le suggère le manuscrit, qui l'intitule *Tractatus* ? On n'y décèle à vrai dire ni les marques du style oral ni la volonté d'édification inhérente au genre. Serait-ce le début du *Commentaire sur la Genèse* dont nous parle

---

1. J. HAUSSLEITER, *CSEL* 49, p. XXVII-XXX ; M. DULAEY, *VP*, p. 24-26.

2. J. HAUSSLEITER, *CSEL* 49, p. XXX.

Jérôme ? Le fait que, tel qu'il est, l'opuscule forme un tout
pourrait s'inscrire en faux là contre ; l'argument toutefois
n'est pas dirimant : un ouvrage peut fort bien être composé
d'unités très bien structurées. On pourrait objecter plutôt
que l'opuscule n'a guère l'allure d'un commentaire et qu'il
cite fort peu le texte de la *Genèse*. Mais là encore, l'objec-
tion n'est pas décisive.

Jérôme semble quant à lui avoir vu dans notre texte un
petit traité sur le chiffre sept, analogue aux passages de l'*Ad
Fortunatum* où Cyprien traite le même sujet [1]. Il pourrait
s'agir d'un genre d'*Hexameron* archaïque, centré sur la
valeur archétypale de la semaine primordiale, où l'intérêt
porte plus sur le septième jour que sur les six jours de la
création [2].

Structure de l'ouvrage

Le petit ouvrage est rigoureusement construit.

Introduction (ch. 1) : annonce du sujet et du plan.

   a. méditation sur la première semaine.

   b. le chiffre sept, règle de l'univers.

   c. signification typologique de la première semaine
(*consummatio*).

1. Méditation sur l'hebdomade originelle (ch. 2-6).

   a. création du cosmos : la lumière, les astres, le temps
humain régi par le chiffre 12 (les 4 premiers jours) ; ch. 2.

   b. la tétrade : sa signification pour les chrétiens (chiffre
du monde, du salut par la Passion) ; ch. 3.

   a'. création de toutes les créatures (5e et 6e jours) ; ch. 4.

   b'. l'hebdomade ou sabbat : sa signification chrétienne (7e
jour : pénitence et attente du Royaume) ; ch. 5-6.

1. *VP*, p. 28.
2. *VP*, p. 27.

2. Sept, chiffre divin présidant aux choses terrestres et célestes (ch. 7-8).

  a. sept, chiffre de la création du monde par l'opération du Verbe et de l'Esprit ; ch. 7.

  b. sept, chiffre de la recréation du monde, par l'Incarnation, dans l'Église ; ch. 8.

3. Reprise de l'œuvre des sept jours dans l'Incarnation, sous les auspices du chiffre sept (ch. 9).

  a. sept, chiffre de la *natiuitas Christi*.

  b. sept, chiffre de la manifestation du Christ dans son humanité et sa divinité.

Conclusion : les témoins de l'œuvre divine (ch. 10).

  Les deux fois douze témoins du temps devant le trône de Dieu.

  Ce plan fait bien apparaître que le développement sur le chiffre sept comme chiffre divin est au cœur de l'ouvrage.

Une réflexion typologique sur le monde et l'histoire

  Selon Victorin, trois nombres surtout régissent le monde [1] : 4, 6, 7 ; chacun d'entre eux a une signification à un triple niveau : dans la semaine primordiale, dans l'économie de l'Incarnation, dans la vie de l'Église.

  Au quatrième jour (tétrade : mercredi) naît notre monde visible, quand apparaissent les astres, le soleil et la lune, et donc le temps. Auparavant, Dieu n'a créé, lors des trois premiers jours, que des réalités spirituelles, dont la lumière et les 24 anges des heures, mais Victorin ne s'étend pas sur le sujet. Quatre est le chiffre du monde matériel — formé de quatre éléments — et du temps — rythmé par les quatre saisons. Il devient par conséquent aussi le nombre de la révé-

---

1. On trouvera une analyse plus détaillée du traité dans *VP*, p. 28-36.

lation du Christ, parole de Dieu au monde : il y a quatre évangiles — figurés par les quatre animaux de l'*Apocalypse* et par les quatre fleuves du paradis ; ils la diffusent dans le monde : il y a quatre âges du monde jusqu'à la révélation du Verbe. Le quatrième jour aussi, la Parole incarnée est « saisie [1] » par les hommes : dans l'Église, on commémore au quatrième jour (du mardi soir au mercredi soir) l'arrestation de Jésus par un jeûne de supplication.

Le chiffre six est celui de l'homme, puisque c'est le sixième jour que l'homme a été créé. C'est donc aussi le sixième jour (vendredi) que naît le Christ, qui « récapitule » en lui Adam, et il meurt le sixième jour, qui est aussi le jour de la chute d'Adam selon une tradition ancienne. Ce jour-là est donc aussi jour de jeûne.

Sept est le nombre divin. Le septième jour appartient à Dieu, qui s'y est reposé, l'a béni, l'a sanctifié. C'est le chiffre du Verbe et de l'Esprit par lesquels Dieu a créé le monde, qui en porte la marque, puisqu'il est constitué de sept cieux. Sept est aussi le nombre qui gouverne la vie du Verbe incarné, d'abord sa naissance — les phases de sa gestation récapitulent l'œuvre de création des six jours —, puis toute sa vie, qui a comporté sept âges. C'est le chiffre par lequel Jésus manifeste sa double nature, humaine et divine : Victorin détecte dans les évangiles sept actes du Christ montrant qu'il avait un corps pareil au nôtre, et sept miracles qui manifestent qu'il était le maître de la création.

Par extension, sept est le chiffre de l'Église et du salut dans l'Église. Le nombre sept, qui a présidé à la création du monde, doit aussi régir la fin de ce monde. C'est le chiffre du « véritable sabbat », le septième millénaire où le Christ va régner avec ses saints et en vue duquel l'homme a été créé.

---

1. Il y a vraisemblablement un jeu sur le double sens de *comprehensus*.

Le septième jour (samedi) est aussi jour de jeûne, ce que déjà dans l'Ancien Testament les prophètes Moïse et David avaient compris ; ce jeûne prépare à l'eucharistie du dimanche et à l'entrée dans le monde de la Résurrection, dont huit est le nombre.

Les anciens étaient très friands de ces considérations arithmologiques [1]. On trouve chez Philon, Clément d'Alexandrie et Origène, ou encore chez les gnostiques, de longs développements, qui se ressentent des influences pythagoriciennes, sur la signification du chiffre sept, parfois aussi sur celle de la tétrade. Victorin, quant à lui, se cantonne dans le domaine biblique, comme Cyprien, dont l'*Ad Quirinum* l'a visiblement inspiré, ainsi que d'autres auteurs dont les œuvres ont aujourd'hui disparu [2]. De pareilles élucubrations peuvent nous paraître étranges. En réalité, elles ont leur origine dans la conscience aiguë que l'on avait de l'unité de l'action de Dieu : dans le cosmos, dans l'histoire de l'humanité, dans la vie des chrétiens au sein de l'Église, c'étaient toujours les mêmes actes salvifiques qui se répétaient, les mêmes règles qui entraient en jeu.

Il est assez probable que ces réflexions sont nées dans les toutes premières communautés judéo-chrétiennes, car de pareils jeux de correspondances plaisaient à la pensée juive, comme en témoignent déjà certains *targumim* concernant le personnage d'Isaac [3]. Ce sont là des conceptions encore très vivantes à l'époque d'Irénée, qui sous-tendent sa doctrine de la récapitulation, laquelle inspire largement notre petit traité [4]. Elles se sont maintenues plus longtemps dans le domaine syriaque, où Jacques de Sarug présente encore au

---

1. Sur la valeur des principaux nombres chez Victorin, voir *VP*, p. 116-119.
2. *VP*, p. 303.
3. *VP*, p. 273 et 27.
4. *VP*, p. 282-284.

VIe siècle des traits fort semblables [1] ; dans certaines autres Églises des confins de l'Empire aussi, apparemment. Il semble du reste que l'influence de l'Orient se soit exercée profondément sur l'Église de Poetovio : la pratique du jeûne du sabbat et les justifications qui en sont données dans le petit traité trouvent un parallèle presque exact dans la *Didascalie des apôtres,* qu'on a de bonnes raisons de croire rédigée à Antioche au IVe siècle [2].

3. Le *Commentaire sur l'Apocalypse*

Transmission du texte

Hippolyte avait commenté la révélation johannique, et de cet ouvrage, seuls des fragments sont parvenus jusqu'à nous [3]. Notre texte est le commentaire le plus ancien qui ait été conservé sur l'*Apocalypse* ; aussi n'a-t-il jamais cessé d'être lu jusque dans le haut Moyen Âge, époque où, toute sa substance ou presque étant passée dans les amples commentaires de Césaire, Primase, Beatus ou Ambroise Autpert, on cessera souvent de le lire directement, mais l'ouvrage ne cessera pas d'être recopié pendant tout le Moyen Âge [4].

Ce succès persistant est en bonne partie dû à Jérôme. En effet, en 398, il a donné du livre, à la demande d'un certain Anatolius — peut-être un moine de ses amis —, une édition corrigée, qui avait notamment gommé les développements millénaristes sur lesquels s'achevait le commentaire. C'est

---

1. *VP,* p. 274.
2. *VP,* p. 226-231.
3. P. Prigent et R. Stehly, « Les fragments... », p. 313-333 ; P. Prigent, « Hippolyte... », p. 391-412.
4. On en a déjà un aperçu en parcourant la liste des manuscrits connus d'Haussleiter, *CSEL* 49, p. LI-LIX.

un service qu'il a rendu à Victorin, car l'archaïsme de ces conceptions aurait probablement compromis la transmission du traité jusqu'à nous.

L'édition hiéronymienne a peu à peu supplanté l'édition originale, dont on n'a plus trace après le VIe siècle. Cette dernière n'avait toutefois pas totalement disparu : J. Haussleiter l'a retrouvée au début du siècle dans un manuscrit du Vatican (*Ottobonianus Latinus 3288 A*), pourtant précédé de la préface de l'édition hiéronymienne comme tous nos autres textes ! Il l'a publiée en 1916 dans le *Corpus de Vienne* (*CSEL* 49). En usant avec discernement du manuscrit du Vatican (tardif, lacunaire, souvent très mauvais) et des nombreux manuscrits de l'édition de Jérôme — qui est le témoin le plus ancien du texte original de Victorin, même s'il l'a souvent remanié —, on peut se faire une assez bonne idée du texte original.

Nous reproduisons ici le texte de Victorin que nous donnerons dans le *Corpus Christianorum*. On trouvera dans notre article « Jérôme "éditeur" du *Commentaire sur l'Apocalypse* de Victorin de Poetovio [1] » ainsi que dans la préface du volume du *Corpus Christianorum*, un aperçu des problèmes posés par l'édition hiéronymienne, ainsi que la justification des leçons que nous avons choisies.

Interprétation de l'Apocalypse

L'*Apocalypse* est pour Victorin un livre fondamental, parce qu'il y voit une sorte de récapitulation de l'Écriture, où le Christ ressuscité reprend ce qui avait été annoncé en figures par la Loi pour en ouvrir le sens, comme il le fit pour les disciples sur le chemin d'Emmaüs [2]. A ses yeux, l'opuscule johannique n'est donc pas pour l'essentiel une prophé-

1. *REAug* 37, 1991, p. 199-236.
2. *VP*, p. 103-104.

tie des fins dernières, mais une révélation parfaite du sens de l'Écriture.

Son commentaire des premiers chapitres de l'*Apocalypse* en est une parfaite illustration : c'est une réflexion sur la présence du Christ aujourd'hui dans l'Église et sur la parole de Dieu (*Apoc.* 1-6). Cette partie n'a rien perdu de son intérêt pour le théologien et l'exégète. A partir du ch. 7, Victorin accorde une place grandissante aux événements eschatologiques, et à partir du ch. 13, le commentaire semble basculer. Le lecteur a bien souvent l'impression que l'auteur fait de la fin de l'*Apocalypse* une lecture bien littérale, y voyant un schéma précis des événements devant se dérouler aux derniers temps de l'Église. Il est probable en fait que les idées de Victorin sur la question ne sont pas aussi simplistes [1].

Apoc. 1-3 : la vision du Fils d'homme

Dans les trois premiers chapitres de l'*Apocalypse,* Victorin discerne une introduction (*Apoc.* 1, 1-11), précisant l'identité de celui qui déclare « ce que tu vois, écris-le dans un livre et envoie-le aux sept Églises », la vision du Fils d'homme (*Apoc.* 1, 12-20) et son message aux Églises (*Apoc.* 2-3).

L'introduction montre que le mandant des lettres aux sept Églises est Jésus-Christ, Dieu et homme. La divinité du Christ est fortement affirmée : la formule de la révélation du nom divin au Sinaï, « Celui qui est, qui était et qui vient » (*Apoc.* 1, 4), est en effet appliquée au Christ. Mais on n'insiste pas moins sur sa nature humaine : « le témoin (martyr)

---

1. Les analyses suivantes suivent l'ordre du commentaire, ce qui nous dispense ici des références chiffrées. On trouvera une étude détaillée du commentaire dans *VP*, ch. III.

fidèle », « qui nous a délivrés par son sang », évoque l'humanité que le Fils éternel a assumée pour notre salut [1].

Le commentaire de la vision du Fils d'homme (*Apoc.* 1, 12-20) va revenir sur le thème de la double nature. L'aspect lumineux de la vision et ses cheveux blancs renvoient à la divinité du Christ ressuscité. Le vêtement sacerdotal signifie le corps du Christ incarné, victime offerte dans sa Passion par le prêtre éternel. Il n'y a pas là, toutefois, répétition de l'introduction, car certaines particularités de la vision font progresser le lecteur et le font pénétrer plus avant dans le mystère : les cheveux blancs du Fils d'homme, qui figurent les baptisés, et la ceinture d'or qu'il porte à hauteur de la poitrine — symbole des croyants, qui boivent sur le sein du Christ le lait pur de la doctrine — disent l'étroite solidarité de l'Homme-Dieu (la tête) avec l'humanité (le corps). D'autres détails de la vision mettent en lumière les moyens qui réalisent concrètement dans l'Église l'union de l'humanité avec le Christ : l'Écriture (l'épée à double tranchant), le baptême (la voix puissante comme celle des grandes eaux) et, partout à l'œuvre, l'Esprit du Christ (les sept étoiles).

La vision apocalyptique telle que Victorin la comprend montre donc le Christ dispensant l'Esprit septuple et unique aux sept Églises, qui ne sont plus seulement sept Églises historiques, mais sept visages de l'Église universelle. Insensiblement, le commentaire nous a fait passer du Christ à l'Écriture, puis à l'Église. Victorin a modifié l'ordre des versets bibliques pour nous faire mieux entrer dans son intelligence du texte, ce que les lecteurs postérieurs n'ont pas toujours compris, car il y a dans l'histoire de la tradition manuscrite des tentatives pour restituer l'ordre habituel. On est frappé, à la lecture du commentaire, par la façon dont les détails de l'explication s'intègrent judicieusement dans un projet d'en-

---

1. *Apoc.* 1, 5-7 est pour Victorin un condensé de sotériologie.

semble. L'auteur n'est pas un grand écrivain, mais on ne peut lui dénier une grande vigueur dans la pensée, tout particulièrement dans les premiers chapitres.

Apoc. 4-5 : la vision du trône

Cette vision est tout entière comprise comme une parabole de la prédication chrétienne et de ce qu'elle signifie pour l'homme. En raison de la version biblique qu'il a à sa disposition pour *Apoc.* 4, 2-3, Victorin se représente le trône vide, comme dans l'iconographie (étimasie), avec en son centre seulement deux pierres précieuses qui symbolisent les deux Testaments, et, tout autour, l'arc-en-ciel et la mer de verre, figures des deux alliances. Sur le trône siège donc le Verbe de Dieu et non le Père : pour Victorin, fidèle à la lecture ancienne des visions vétérotestamentaires, quand Dieu se fait voir, ce ne peut être qu'en son Fils.

Les deux cercles concentriques entourant le trône, les vingt-quatre vieillards d'une part et les quatre animaux de l'autre, représentent des intermédiaires entre la parole de Dieu et l'homme. Les vingt-quatre vieillards sont les témoins de Dieu : *testimonia* de l'Ancien Testament, et ensemble formé par les douze patriarches et les douze apôtres. Les quatre animaux, selon une interprétation probablement antérieure à Irénée, qui l'a développée, sont la quadruple manifestation du Christ aux hommes par la prédication des quatre évangiles et par les quatre phases principales de la Rédemption : Incarnation, Passion, Résurrection, Ascension. Leurs quatre fois six ailes sont les prophéties de l'Ancien Testament, nécessaires pour donner solidité et vitalité à la prédication chrétienne ; constellées d'yeux à l'intérieur comme à l'extérieur, elles évoquent le double sens, moral et prophétique, de l'Écriture. Quant à l'adoration des vingt-quatre vieillards et des quatre animaux, elle manifeste l'unité des deux Testaments.

Apoc. 6-9

Le livre scellé des sept sceaux est testament au double sens du terme. Il est le testament de Dieu à l'humanité, que seul l'Agneau peut ouvrir, parce qu'il est Dieu et homme : testateur en tant que Dieu, exécuteur testamentaire par la Passion, héritier même parce que ressuscité. Le testament, ouvert par la mort et la résurrection du Christ, est aussi l'Écriture, dont il est la clé. L'*Apocalypse* déploie l'ouverture du livre en sept visions, où Victorin se garde de voir une succession chronologique. Il dit avec force que les sept sceaux sont tous ouverts en une seule fois par la mort et la résurrection du Christ. L'ouverture du livre parle du sens profond de l'Écriture, appel urgent à la conversion avant que ne survienne la Parousie.

Les sept sceaux nous fournissent des aperçus sur des réalités qui peuvent être concomitantes ou successives : marche triomphale de la prédication sur la terre (premier sceau), tribulations de l'Église, annoncées aussi dans ce qu'on appelle l'apocalypse synoptique (du second au quatrième sceau) ; attente fervente de la Parousie par ceux qui sont morts (cinquième sceau) ; le sixième sceau évoque l'achèvement de la conversion du monde lors de la dernière tribulation ; le septième marque l'inauguration du royaume du Christ.

Les divers malheurs et cataclysmes concentrés dans les sept sceaux sont autant d'images qui font comprendre ce qu'est la vie de l'Église des origines à la Parousie. Victorin ne donnera pas d'interprétation détaillée des sept trompettes et des sept coupes. Elles ne représentent pas en effet pour lui les étapes distinctes d'un déroulement chronologique, mais traitent toutes du même sujet, déjà abordé dans la vision des sceaux : l'ultime persécution.

Apoc. 10-11

Si *Apoc.* 4-5 est dominé par le thème de l'Agneau ouvrant le livre, la vision de l'ange au petit livre (*Apoc.* 10-11) en est la concrétisation. En effet, le cri de l'ange puissant, figure du Christ, représente la prédication historique de Jésus, appuyée par le témoignage de l'Esprit, lequel est symbolisé par le grondement des sept tonnerres. Une réflexion sur les deux injonctions contradictoires faites à Jean — « Garde scellées les paroles... » et « il te faut de nouveau prophétiser » (*Apoc.* 10, 4 et 10, 11) — permet à Victorin de préciser comment il comprend l'*Apocalypse*. Le livre scellé était l'Ancien Testament avec ses obscurités. D'un côté, Jean doit le garder scellé, c'est-à-dire qu'il reçoit l'ordre de ne pas donner une interprétation explicite des prophéties de l'Ancien Testament — il les réutilise sans les interpréter —, car il est apôtre et non exégète ; de l'autre, l'*Apocalypse* est figurée par un livre *ouvert,* parce que, à la venue du Christ, la prophétie vétérotestamentaire a reçu son sens. Le roseau ou la baguette que l'ange donne à Jean représente l'Évangile qu'il doit encore écrire, et qui est considéré comme norme de l'enseignement chrétien.

Apoc. 11-17

Même si le lecteur a l'impression que la prédication d'événements eschatologiques concrets prend de plus en plus de place désormais dans le commentaire, Victorin ne voit pas dans la dernière partie de l'*Apocalypse* une succession chronologique. La mission des deux témoins (*Apoc.* 11, 6) est coextensive au déroulement des sept coupes et des sept trompettes et se situe lors de la dernière semaine du monde, dont parle aussi la vision de la femme au désert (*Apoc.* 12, 6). De même, le ch. 12, où la femme figure l'Église en sa totalité — « le peuple double », formé de l'Église de la circoncision et de celle des gentils, qui regroupe tous les saints

des deux Testaments —, concentre en une vision unique des
événements passés (attente du Messie par les saints de
l'Ancien Testament, temps de l'Incarnation), présents (la
persécution de la femme-Église) et à venir (la protection
dont Dieu l'entoure lors de la grande tribulation).

Le dragon céleste est le diable, la bête de la mer représente l'Antéchrist, en qui Victorin voit très concrètement
non pas un second Néron, mais Néron lui-même, tiré des
enfers par Satan pour combattre les chrétiens lors de l'ultime persécution. Telle est l'interprétation qu'il donne de
l'énigme d'*Apoc.* 17, 8-11 : la Bête « qui était, n'est plus et
reparaîtra », qui est en même temps l'un des sept rois et le
huitième. Cela ne signifie pas pour autant qu'il spécule sur
la date de la fin du monde ; il n'est, dans l'édition originale,
aucun nom qui soit donné pour élucider le chiffre de la Bête
(*Apoc.* 13, 18) ; certaines mises en garde de Victorin sur le
risque de verser dans la pseudoprophétie quand on interprète l'*Apocalypse* sont révélatrices de sa prudence à cet
égard [1]. Et la façon dont il envisage le Règne du Christ en
Apoc. 21-22 est moins simple que dans mainte secte ultérieure, ainsi qu'on le verra plus avant.

III. Intérêt de l'œuvre de Victorin

1. Un témoignage unique

Avec Victorin, nous avons les premières traces d'une de
ces Églises d'Europe centrale qui seront bien vite balayées
par les grandes invasions. On constate à le lire que, sous
Gallien sans doute, il y a désormais à Poetovio des chrétiens
dans toutes les couches de la société. La persécution de Dèce

1. p. 88, 9-10.

et celle de Valérien, avec toutes leurs séquelles — problème des *lapsi* et de l'autorité excessive prise par certains confesseurs — sont encore très proches des esprits, et plus d'un détail suggère une atmosphère identique à celle qu'on perçoit dans les lettres de Cyprien [1]. Mais on n'est plus en temps de persécution ouverte.

Le *De fabrica mundi* et le *Fragment chronologique* ouvrent quelques aperçus sur la liturgie de l'Église de Poetovio. Elle se déroulait en partie au moins en grec. On peut avoir aussi quelque idée du Credo que l'on y proclamait, où certaines formules suggèrent une influence orientale, tandis que d'autres rappellent le symbole de Nicétas de Rémésiana [2]. La Passion était commémorée le 23 mars (*X Kal. Apr.*), et Pâques fêtée le 25 (*VIII Kal. Apr.*) [3]. On jeûnait à Poetovio les mercredis et vendredis, pratique courante dans l'Église ancienne, mais aussi, fait plus rare, le samedi, une des finalités de ce jeûne du samedi étant de distinguer l'Église chrétienne de la communauté juive [4] : archaïsme, ou indice de l'importance de la communauté juive de la ville ?

L'étude de l'œuvre de Victorin montre la complexité des influences qui se sont exercées sur l'Église de Poetovio : courant judéo-chrétien très ancien, apport oriental, mais aussi occidental [5]. A l'époque de notre évêque, on s'y tient au courant des livres qui paraissent en latin comme en grec. Victorin connaît Tertullien, Minucius Felix, Novatien et le Canon de Muratori, même si, exégèse oblige, il est plus familier d'Irénée, Hippolyte et Origène [6]. Poetovio était un nœud routier, et les idées y circulaient apparemment aussi bien que les marchandises.

1. *VP*, p. 223-225.
2. *VP*, p. 231-233.
3. *VP*, p. 225-226.
4. *VP*, p. 227-231.
5. Notamment d'Aquilée et Sirmium. Cf. *VP*, p. 369-371.
6. *VP*, ch. V.

2. La réflexion sur l'Écriture

A la suite d'Irénée et Origène, Victorin insiste fortement sur l'unité des Écritures, dont le Christ est la clé. Voilé ou scellé jusqu'à la mort et la Résurrection du Christ, le « sens spirituel » est révélé par l'Esprit-Saint à l'Église, moyennant la méditation de l'Écriture et la vie dans l'Esprit. L'interprétation des Écritures est un charisme : le prophète a pour successeur l'exégète, par qui la parole de Dieu peut parvenir aux hommes [1].

On trouve chez Victorin une intéressante réflexion sur le style biblique, qui fonde la méthode herméneutique de l'auteur. L'infinie richesse de l'Esprit-Saint fait qu'il a peine à couler son message dans l'étroitesse du langage humain. D'une part donc, l'Esprit multiplie les images pour cerner une même réalité ; pour accéder au sens spirituel, il faut dès lors ramener ce pluriel au singulier, éclairer un Testament par l'autre, un verset par un autre. Un texte amènera donc sous la plume de l'exégète ses harmoniques bibliques, d'où la création de citations composites, qui sont à elles seules des interprétations, et d'une sorte de midrash chrétien. Le rôle de l'exégète est d'élucider les symboles par confrontation de la Bible avec elle-même, et de mettre en relief les grands types ou figures en lesquels convergent les deux Testaments [2].

En outre, du fait que l'Esprit transcende le temps, il bouleverse la chronologie, entremêlant passé, présent et futur. D'où la règle de la « récapitulation », au sens exégétique du terme, et qui n'est du reste qu'un cas particulier de la récapitulation paulinienne développée par Irénée : la dénomination, à laquelle Augustin assurera le succès, est celle de Tyconius, mais c'est Victorin qui a formulé la règle pour la

1. *VP,* ch. II, 2.
2. *VP,* p. 105-128.

première fois. Le style prophétique tantôt déploie un événement unique en une série de tableaux ou d'images, tantôt concentre en un récit ponctuel des événements dont la réalité s'étend sur toute la durée de l'histoire des hommes. Il faut par conséquent s'attacher à la signification symbolique des tableaux du livre, et non croire qu'y est consigné le détail exact des événements qui surviendront à la fin des temps. C'était l'antidote à une lecture fondamentaliste de la révélation johannique, même si le lecteur a parfois l'impression que Victorin n'a pas toujours su en tirer parti jusqu'au bout [1]. C'est certainement l'apport essentiel de Victorin à l'exégèse.

3. La théologie de Victorin

Il ne reste rien de l'œuvre proprement théologique de l'évêque de Poetovio ; il est du reste plus exégète que théologien, et il ne faut pas s'attendre à trouver en lui un novateur en ce domaine.

Sa doctrine présente des archaïsmes, notamment dans le *De fabrica mundi,* à propos de la génération du Verbe — dont Victorin considère qu'elle prend place au moment où Dieu va créer le monde — ou de sa conception — il parle de l'Esprit qui prend chair —, mais cela n'a rien d'exceptionnel avant le concile de Nicée [2]. Dans le *Commentaire sur l'Apocalypse,* l'Esprit-Saint est subordonné au Fils : là encore, il est difficile de reprocher à Victorin des imprécisions et des erreurs sur des points qui ne seront vraiment éclaircis qu'à la fin du IVe siècle [3]. Quant à l'accusation de « binitarisme » jadis portée contre lui, elle repose sur un

---

1. *VP,* p. 100-105.
2. *VP,* p. 368 ; 238-239 ; 241.
3. *VP,* p. 243-245.

texte mal établi et se révèle sans fondement [1]. En somme, rien n'autorise à voir en Victorin un théologien traditionaliste reflétant la doctrine archaïque d'une Église reculée et quelque peu rétrograde, comme on l'a dit parfois.

Pareil jugement ne peut pas même être porté au vu de son millénarisme : en Occident en effet, jusqu'à la fin du IVe siècle, les auteurs demeurés chiliastes ne sont pas rares [2] ; et le millénarisme de Victorin est moins naïf qu'il n'y paraît.

Mêlant des courants divers de l'apocalyptique, le millénarisme revêt bien des nuances dans l'antiquité. Nombreux sont les auteurs chrétiens qui adoptent ce que J. Daniélou a appelé « la typologie millénariste de la semaine », qui opère la synthèse entre la doctrine des mages chaldéens sur les sept millénaires du monde et la réflexion juive sur la symbolique des jours de la semaine. D'après cette doctrine, le monde doit durer sept mille ans, parce qu'« aux yeux du Seigneur, mille ans sont comme un jour » (*Ps.* 89, 4) et que la semaine comporte sept jours. On considère généralement que le temps de l'Église est le sixième millénaire, et que le septième, correspondant au sabbat, inaugure le règne de Dieu [3]. Présenté ainsi, le millénarisme rallie les suffrages de presque tous les Pères.

C'est la façon d'envisager ce règne de Dieu qui les divisait. Les millénaristes asiates, ou encore les Ébionites, se représentaient un règne terrestre du Christ et un paradis de délices fort concret. Les plus biblistes d'entre eux s'appuyaient sur les textes des prophètes concernant la restauration eschatologique de Jérusalem, et croyaient fermement qu'elle dominerait les nations et que les justes y vivraient une vie paradisiaque, dont ils spiritualisaient souvent les plaisirs. Les plus logiques, prenant l'*Apocalypse* à la lettre,

1. *VP*, p. 234-235.
2. *VP*, p. 267-268.
3. *VP*, n. IV, 3, 1-3 et tout le chapitre IV, 3.

ne voyaient là qu'une phase préliminaire : après une « première résurrection » des seuls justes venaient mille ans de règne terrestre du Christ, à l'issue duquel advenaient la résurrection générale, le jugement dernier et une transformation radicale de la condition du monde et de l'homme. Telle est la doctrine de Justin, Irénée, Tertullien, victimes de leur désir d'avoir des idées claires sur les questions les plus obscures. D'autres auteurs sont plus flous, et l'on est souvent en peine de savoir s'ils comprennent les choses littéralement ou non. Un seul, avant le IVᵉ siècle, échappa au millénarisme : Origène, prodigieusement agacé par ce qu'il pouvait y avoir de littéralisme dans cette doctrine.

Quelle est dans tout cela la position de Victorin ? Le *De fabrica mundi* montre qu'il voyait l'histoire humaine comme une succession de millénaires dont le septième et dernier, sabbat véritable, voyait l'apparition du règne du Christ avec les saints, un règne provisoire, puisque le jugement dernier est situé à l'aube du huitième jour, lequel représente l'éternité. Dans le *Commentaire sur l'Apocalypse*, le lecteur est perplexe. D'une part Victorin y parle clairement de *deux* résurrections — ce que ne fait pas l'*Apocalypse*, qui parle seulement de « première résurrection » ; la première inaugure le règne du Christ, qui se déroule dans un Orient renouvelé et une Jérusalem agrandie où les saints reçoivent au centuple les biens de ce monde : une cité réelle bien implantée sur notre terre. Mais il ne semble pas que cette cité sainte fasse place à une autre réalité céleste comme c'est le cas chez Irénée ; et cette cité terrestre est en même temps spirituelle, elle est l'Église sans tache ni ride manifestée à la fin des temps. De plus, Victorin ne connaît pour les justes qu'une seule transformation, lors de la première résurrection, qui est pour lui l'aube du monde nouveau, c'est-à-dire de l'éternité. On est donc en droit de se demander si pour l'évêque de Poetovio la seconde résurrection n'est pas une « récapitulation » de la première.

Victorin s'exprime sans vergogne au moyen des anciennes idées millénaristes. Mais il n'est pas certain qu'il prenait tout à la lettre. Ainsi, les biens du Royaume, dont il parle en termes scripturaires concrets (or, argent, richesses...) sont compris comme des « richesses célestes ». Son millénarisme est modéré et spiritualisé, ce qui lui a valu l'indulgence de Jérôme, qui par ailleurs pourfendait ces conceptions archaïques.

Il était en tout état de cause peu clair en ces matières, et son chiliasme, quel qu'il fût, n'a pas été pour rien dans la disparition de ses œuvres après le Ve siècle, à une époque où s'était désormais imposée la doctrine eschatologique exposée par Augustin au livre XXII de la *Cité de Dieu*. Les ouvrages de cet auteur que Jérôme considérait comme « une colonne de l'Église », qu'avaient lu Lactance, Hilaire, Zénon, Chromace, Tyconius, Jérôme, Grégoire d'Elvire, Augustin même [1], ne seront plus guère recopiés, à l'exception de la version expurgée par Jérôme du *Commentaire sur l'Apocalypse*.

Mais, qui sait ? Peut-être que les vertus combinées du catalogage systématique des manuscrits et de l'informatique ramèneront un jour à la surface un de ces ouvrages, dans quelque copie effectuée *in extremis* au XVe ou XVIe siècle pour sauvegarder le contenu d'un antique exemplaire en mauvais état, comme ce fut le cas de l'*Ottobonianus Latinus 3288*. On connaîtrait mieux alors ce que déjà nous laissent entrevoir les bribes de l'œuvre qui nous sont parvenues. On y verrait une exégèse encore proche à bien des égards de ses origines juives, souvent véhiculée par la tradition orale ; on y percevrait la richesse de cette intelligence des Écritures, qui nourrissait catéchèse et prédication en se fondant sur les figures et symboles bibliques : moins rhétorique et moins intellectuelle que celle des grands auteurs, elle était plus accessible sans doute au peuple chrétien.

---

1. *VP*, ch. V.

TEXTE
ET
TRADUCTION

Manuscrits :
— *Ottobonianus Latinus* 3288 A (XV ᵉ s.) = *A.*
— *Ottobonianus Latinus* 3288 B (copie de *A* : XVI ᵉ s.).
— *Vaticanus* 3586 (copie de *Ottob.* 3288 B : XVI ᵉ s.).
Édition princeps : J. HAUSSLEITER, *CSEL* 49.

Le texte du manuscrit *A,* qui recopie un exemplaire ancien très endommagé, lacunaire et très fautif, peut être en partie complété et corrigé à l'aide de l'édition que Jérôme a donnée du commentaire de Victorin, dont J. Haussleiter avait donné une version dans *CSEL* 49 à partir des 10 manuscrits dont il disposait alors. Nous l'avons établie à nouveau sur la base de 21 manuscrits, ce qui nous a souvent amenée à modifier les choix de l'éditeur allemand.

Les crochets obliques <...> signalent les mots, lignes ou paragraphes, absents du ms. *A*, qui ont été restitués à Victorin en fonction de l'édition hiéronymienne, par Haussleiter et par le présent éditeur.

La numérotation du texte demeure celle de *CSEL* 49 ; celle-ci est discontinue, car elle suit celle des versets de l'*Apocalypse,* dont certains chapitres ne sont pas commentés par Victorin. Il nous a semblé qu'il y avait plus de confusion à attendre que de gain à espérer d'un changement de numérotation.

Notre texte se différencie trop de celui d'Haussleiter pour qu'il puisse être question ici de fournir la liste des leçons nouvelles, qui ne sont d'ailleurs pas toutes fondamentales pour l'intelligencce du texte. Les plus importantes sont commentées dans les notes. Les principes qui ont conduit nos choix sont exposés dans l'article « Jérôme, éditeur de Victorin ». Pour de plus amples détails, il faudra se reporter à l'apparat critique de la nouvelle édition du texte latin que nous préparons pour le *Corpus Christianorum.*

Les lemmes de l'*Apocalypse* sont en italique gras dans le texte latin ; les reprises du lemme dans le même paragraphe en italique maigre. Lemmes et reprises sont entre guillemets français dans la traduction. Les références sont données en marge.

Les citations des autres livres bibliques sont en italique maigre dans le texte latin, les reprises entre guillemets français. Citations et reprises sont entre guillemets anglais dans la traduction. Les références sont données dans l'apparat scripturaire.

SUR L'APOCALYPSE

IN APOCALYPSIN

1,3   **I, 1.** Principium libri beatitudinem *<legenti>, audienti et seruanti* promittit, ut lectioni studens exinde opera discat et
1,4   quae praecepit custodiat. *Gratia uobis et pax a Deo qui est et <qui> erat et qui uenturus est.* *<Est,* quia permanet;
5   *erat>*, quia cum patre omnia fecit, non ex uirgine initium sumpsit; *uenturus est,* utique ad iudicandum. *Septiformi spiritu* : in Esaia legimus : *Spiritus sapientiae et intellectus, consilii et fortitudinis, scientiae et pietatis, spiritus timoris Domini* [a]. Isti septem spiritus unius scilicet dona <sunt> Spi-
1,5 10 ritus Sancti. *Et ab Jesu Christo qui est testis fidelis primogenitus ex mortuis.* In homine suscepto perhibuit testimonium in mundo [b] in quo passus *nos suo sanguine soluit a peccato* et debellato inferno primus resurrexit a mortuis, et *mors ei ultra non dominabitur* [c] sed ipso regnante mundi
1,6 15 regnum destructum est [d]. *Et fecit nos regnum et sacerdotes,* id est omnem fidelium ecclesiam, sicut Petrus apostolus
1,7   dicit : *Gens sancta, regale sacerdotium* [e]. *Ecce uenit cum nubibus et uidebunt eum omnes populi.* Qui primo in suscepto homine uenit occultus, post paululum in maiestate et
20   gloria ueniet ad iudicandum manifestus.

I. a. Is. 11, 2.3 ‖ b. cf. Jn 18, 37 ‖ c. Rom. 6, 9 ‖ d. cf. Jn 16, 33 ‖ e. Ex. 19, 6 ; cf. I Pierre 2, 9

SUR L'APOCALYPSE

Introduction   **I, 1.** Le début du livre promet le bonheur à qui en « lit, écoute et observe » le contenu, en sorte que, s'appliquant à la lecture, il en tire la connaissance des œuvres et pratique ce qui est prescrit. « Grâce et paix de la part du Dieu qui est, qui était et qui viendra » ; « qui est », parce qu'il demeure à jamais ; « qui était », parce qu'il a tout créé avec le Père et n'a pas commencé à être en naissant de la Vierge ; « qui viendra » : à l'évidence pour juger. « De la part de l'Esprit septiforme » ; nous lisons en *Isaïe* : "Esprit de sagesse et d'intelligence, de conseil et de force, de science et de piété, Esprit de la crainte de Dieu [a]." Ces sept esprits sont évidemment les dons de l'unique Esprit-Saint. « Et de la part de Jésus-Christ, qui est le témoin fidèle, premier-né d'entre les morts. » En assumant la nature humaine, il a rendu témoignage dans le monde [b], où sa Passion nous a « libérés du péché par son sang » ; et après avoir terrassé l'Enfer, le premier, il ressuscita des morts, et "la mort sur lui n'aura plus d'empire [c]" ; mais, maintenant qu'il règne, le royaume de ce monde a été détruit [d]. « Il a fait de nous un royaume et des prêtres. » De nous, c'est-à-dire de toute l'Église des croyants, selon le mot de l'apôtre Pierre : "Nation sainte, sacerdoce royal [e]." « Voici qu'il vient au milieu des nuées, et tous les peuples le verront. » Celui qui d'abord vint caché, quand il assuma la nature humaine, reviendra pour juger, après un peu de temps, évident à tous dans la majesté et la gloire.

1,3

1,4

1,5

1,6

1,7

1,13;2,1   **2.** Quod autem dicit *inter medium candelabrorum aureorum ambulantem similem filio hominis, similem <filio hominis>* dicit post mortem deuictam. In caelis cum ascendisset adunato isto corpore cum Spiritu gloriae, quam rece-
5   pit a Patre [f], potest iam quasi filius Dei dici, non quasi filius hominis. *Ambulans inter medium candelabrorum aureorum,* id est inter medium ecclesiarum, sicut per Salomonem dixit : *Inter semitas iustorum ambulo* [g].

1,14   Cuius antiquitas et immortalitas, maiestatis origo, *in*
10   *capite candor* ostenditur. Caput autem Christi Deus est [h].
<Et *in capillis albis* albatorum est multitudo *lanae* similis propter oues, similis *niui* propter innumerabilem turbam candidatorum de caelo datorum. *Oculi ut flamma ignis.* Praecepta Dei sunt, quae credentibus lumen ministrant,
15   incredulis incendium>.

1,16   **3.** *In facie* autem *claritas solis.* Facies eius apparitio illius fuit, qua locutus est hominibus facie contra faciem. Solis autem gloria minor est quam gloria Domini. Sed propter ortum et occasum et rursus ortum, quod natus sit et passus
5   et resurrexit, ab eodem dedit similitudinem scriptura faciem eius gloriae solis.

1,13   **4.** In *ueste sacerdotali* carnem quae corrupta non est a morte et habet per passionem aeternum sacerdotium apertissime traditum. *Mammae* duo sunt testamenta et *zona aurea* chorus sanctorum ut aurum per ignem probatum ; ali-
5   ter, zona aurea *accincta pectori* : conflata conscientia et purus spiritalis sensus traditus est ecclesiis.

---

f. cf. I Pierre 1, 14 ; 1, 21 ‖ g. Prov. 8, 20 ‖ h. cf. I Cor. 11, 3

Vision du fils d'homme

2. Dans la formule « au milieu des candélabres d'or marchait quelqu'un de semblable à un fils d'homme », il est dit « semblable à un fils d'homme », parce qu'après sa victoire sur la mort, une fois monté aux cieux, quand il a uni notre corps à l'Esprit de gloire qu'il a reçu du Père [f], il peut désormais être désigné comme Fils de Dieu et non plus comme fils d'homme. « Marchant au milieu des candélabres d'or », c'est-à-dire au milieu des Églises, selon ce qu'il a dit par la bouche de Salomon : "Je marche au milieu des sentiers des justes [g]." 1,13;2,1

Son ancienneté et son immortalité, sources de sa majesté, sont signifiées par « la blancheur éclatante de sa tête » ; or, la tête du Christ, c'est Dieu [h]. Par ses « cheveux blanc » est signifiée la multitude des nouveaux baptisés ; ils sont comparés à « la laine », à cause des brebis, comparés à « la neige », à cause de la foule innombrable des "candidats", don du ciel. « Ses yeux sont comme une flamme de feu » : ce sont les préceptes de Dieu, qui apportent aux croyants la lumière, aux incrédules le feu. 1,14

3. « Sur sa face, la splendeur du soleil ». Sa face est sa manifestation, lors de laquelle il parla aux hommes face-à-face. Certes, la gloire du soleil est inférieure à la gloire du Seigneur, mais à cause du lever du soleil, de son coucher et de son lever encore, l'Écriture compare sa face à la gloire du soleil, parce qu'il est né, a souffert, est ressuscité. 1,16

4. Dans le « vêtement sacerdotal », il faut voir sa chair, qui n'a pas été corrompue par la mort, et qui est en possession du sacerdoce éternel, que sa Passion lui a conféré avec la plus grande évidence. « Les mamelons » sont les deux Testaments, et « la ceinture d'or », le chœur des saints éprouvés par le feu comme l'or. Autrement dit, la ceinture d'or « ceignant la poitrine » est la conscience purifiée et le pur sens spirituel transmis aux Églises. 1,13

1,16   Per *gladium bis acutum de ore ipsius emicantem* ostenditur ipsum esse qui et nunc euangelii bona et prius per
Moysen legis notitiam uniuerso orbi protulit. Sed quia ex
10 eodem uerbo omne genus humanum tam ueteris quam noui
testamenti iudicaturus est, ideo gladius <bis acutus> nominatus est. Gladius enim militem armat, gladius hostem inter-
ficit, gladius desertorem punit. Et ut ostenderet apostolis
quia iudicium adnuntiabat, ait : *Non ueni pacem mittere, sed*
15 *gladium* ⁱ. *Et postquam consummauerat parabolas* ʲ *ait ad*
illos : Intellexistis omnia ? Dixerunt : Ita. Adiecit : Propterea
omnis scriba doctus de regno caelorum similis est patrifamilias
proferenti de thesauro suo noua et uetera ᵏ ; « noua » : euangelica uerba ; « uetera » : legis et prophetarum. Haec de ore suo
20 processisse Petro ait : *Vade ad mare et mitte hamum, et pis-*
cem qui primus ascenderit, aperto ore eius inuenies staterem,
id est duos denarios ; *da pro me et pro te* ˡ. Et Dauid similiter ait per Spiritum : *Semel locutus est Deus, duo haec*
audiuimus ᵐ, quia semel decreuit ab initio Dominus, quod
25 usque ad finem futurum est. Haec ergo sunt duo testamenta,
quae pro captu temporis aut duo denarii aut noua et uetera
aut gladius bis acutus nominatur. Denique cum iudex sit
ipse a Patre constitutus ⁿ, uolens ostendere quoniam uerbo
praedicationis iudicabuntur homines, ait : Putatis quia ego
30 uos iudicabo nouissima die ᵒ ? *Verbum quod uobis locutus*
sum, illud iudicabit in nouissima die ᵖ. Et Paulus contra
Antichristum ad Tessalonicenses ait : *quem Dominus inter-*
ficiet spiritu oris sui �q. Hic est ergo gladius bis acutus proce-
dens de ore eius.

i. Matth. 10, 34 ‖ j. Matth. 13, 53 ‖ k. Matth. 13, 51-52 ‖ l. Matth. 17,
26-27 ‖ m. Ps. 61, 12 ‖ n. cf. Act. 10, 42 ‖ o. cf. Jn 5, 45 ‖ p. Jn 12, 48 ‖
q. II Thess. 2, 8

Par « le glaive à double tranchant qui sort de sa bouche », 1,16
il est montré que celui qui de nos jours a révélé au monde
entier les bienfaits de l'Évangile est identique à celui qui
jadis a donné la connaissance de la Loi par Moïse. Mais
parce que de ce même Verbe viendra le jugement pour tout
le genre humain, qu'il appartienne à l'ancienne ou à la nouvelle Alliance, il a été nommé glaive à double tranchant. Car
le glaive arme le soldat, le glaive tue l'ennemi, le glaive punit
le déserteur. Pour signifier aux apôtres qu'il annonçait le
jugement, le Christ dit : "Je ne suis pas venu apporter la
paix, mais le glaive [i]." "Et quand il eut achevé les paraboles [j],
il leur dit : 'Avez-vous tout compris ?' Ils répondirent que
oui. Il ajouta : 'Ainsi, tout scribe instruit du royaume des
cieux est semblable à un maître de maison qui tire de son
trésor du neuf et du vieux' [k]." "Du neuf" : les paroles de l'É-
vangile ; "du vieux" : les paroles de la Loi et des Prophètes.
Et que ces paroles soient sorties de sa propre bouche, le
Seigneur le dit à Pierre : "Va à la mer, jette l'hameçon ; le
premier poisson qui mordra, ouvre-lui la bouche et tu y
trouveras un statère" — c'est-à-dire deux deniers. "Tu le
donneras pour moi et pour toi [l]." De la même façon, David
dit, sous la mouvance de l'Esprit : "Une fois, Dieu a parlé,
j'ai entendu deux choses [m]." Car Dieu a décidé une fois pour
toutes ce qui sera jusqu'à la fin. "Les deux choses" sont donc
les deux Testaments qui, selon les circonstances, sont dési-
gnés par les deux deniers, le neuf et le vieux ou l'épée à
double tranchant. Enfin, puisqu'il a été établi juge par le
Père [n], il dit, pour montrer que les hommes seront jugés par
la parole de la prédication : "Vous pensez que c'est moi qui
vous jugerai au dernier jour [o] ? La parole que je vous dis,
c'est elle qui jugera au dernier jour [p]." Et Paul dit aux
Thessaloniciens ces mots visant l'Antéchrist : "Dieu l'anéan-
tira par le souffle de sa bouche [q]." Tel est le glaive à deux
tranchants qui sort de sa bouche.

1,15   **5. Vox eius tamquam uox aquarum multarum.** *Aquae*
17,15 *multae* populi intelleguntur, sed et donum baptismi, quod
demisit praecepto per apostolos diffundi ad salutem homi-
1,15 num. **Pedes eius similes aurichalco tamquam in fornace**
5   **conflato.** Apostolos dicit, quia per passionem conflati prae-
dicauerunt uerbum eius ; per quos enim ambulat praedicatio, merito pedes nominantur. Vnde propheta anticipauit
dicendo : *Adoremus ubi steterunt pedes eius* [r], quoniam ubi
illi primi steterunt et ecclesiam confirmauerunt, id est
10 Iudeam, ibi omnes sancti conuenturi sunt et deum suum
adoraturi.

1,16   **6. Septem stellae in dextera.** Diximus quia Spiritus
Sanctus septiformis uirtutis datus est in potestatem eius a
Patre, sicut Petrus ad Iudaeos exclamauit : *Dextera igitur*
Dei exaltatus acceptum a Patre Spiritum effundit, hunc
5   *quem uidistis et audistis* [s]. Sed et Iohannes Baptista antici-
pauerat discipulis suis dicendo : *Non enim de mensura dat*
Spiritum. Pater amat Filium et omnia dedit in manibus
eius [t]. Istae sunt septem stellae.

1,11.20   **7. Septem autem ecclesiae,** quas nominatim uocabulis
suis uocat, ad quas epistolas facit, non quia illae solae <sint>
ecclesiae aut principes, sed quod uni dicit omnibus dicit ;
nihil enim differt utrum quis uexillationi, paucorum mili-
5   tum numero, an per eam toto exercitui loquatur. Denique,
siue in Asia siue in toto orbe, septem ecclesias omnes ; et
septenatim nominatas unam esse catholicam Paulus docuit.
Primum quidem ut seruaret <ipse> et ipsum, septem ecclesiarum non excessit numerum, sed scripsit ad Romanos, ad
10 Corinthios, ad Ephesios, ad Tessalonicenses, ad Galatas, ad

r. Ps. 131, 7 ‖ s. Act. 2, 33 ‖ t. Jn 3, 34.35

5. « Sa voix est comme la voix des eaux nombreuses ».   1,15
Par les « eaux nombreuses », on entend les peuples, et aussi le   17,15
don du baptême qu'il répandit en ordonnant qu'il fût dis-
pensé par les apôtres pour le salut des hommes. « Ses pieds,   1,15
semblables à de l'airain précieux, sont comme affinés au
creuset. » Il s'agit des apôtres, parce que c'est affinés par la
Passion qu'ils ont prêché sa parole. Il est juste en effet d'appeler pieds ceux par qui chemine la prédication. Aussi le
prophète a-t-il dit par avance : "Adorons au lieu où se sont
établis ses pieds ʳ", puisque c'est au lieu où les apôtres
se sont établis d'abord et ont affermi l'Église, c'est-à-dire
l'Église de Judée, que tous les saints se rassembleront et ado-
reront leur Dieu.

6. « Sept étoiles dans la main droite » ; nous avons déjà   1,16
dit que la puissance septiforme de l'Esprit-Saint a été remise
au pouvoir du Fils par le Père, ainsi que Pierre l'a proclamé
aux juifs : "Ainsi, exalté par la droite de Dieu, il a répandu
l'Esprit qu'il a reçu du Père ; c'est lui que vous avez vu et
entendu ˢ." Et Jean-Baptiste aussi l'avait dit par avance à ses
disciples : "En effet, il ne donne pas l'Esprit avec mesure. Le
Père aime le Fils et a tout remis en ses mains ᵗ." Voilà pour
les sept étoiles.

7. « Quant aux sept Églises », que le texte désigne nom-   1,11.20
mément, c'est à elles que le Christ adresse les lettres, non
qu'elles soient les seules Églises ou les plus importantes, mais
parce que, ce qu'il dit à une, il le dit à toutes. Parler à un
escadron, qui ne compte qu'un petit nombre de soldats, ou
à toute l'armée par son entremise, cela ne fait aucune différence. Bref, que ce soit en Asie ou dans l'ensemble du
monde, ces sept Églises représentent toute les Églises ; et
Paul a enseigné que celles qu'il a nommées à sept reprises
sont l'unique Église catholique : d'abord, voulant lui-même
observer cette règle, il n'a pas dépassé le nombre de sept
Églises, mais a écrit aux Romains, aux Corinthiens, aux
Éphésiens, aux Thessaloniciens, aux Galates, aux Philippiens,

Philippenses, ad Colossenses ; postea singularibus personis scripsit, ne excederet numerum septem ecclesiarum, et in breui contrahens praedicationem suam ait ad Timotheum : *Vt scias qualiter debeas conuersari in aede Dei aut quae sit* 15 *ecclesia uiui Dei* ᵘ.

Hunc typum a Spiritu Sancto per Esaiam praedicari legimus *de septem mulieribus quae adprehenderunt hominem unum.* Vnus autem homo Christus est, non ex semine natus. Septem mulieres ecclesiae sunt, *panem* accipientes *suum et* 20 *tunicis suis* uelatae, quae petunt *auferri improperium suum, ut inuocetur nomen illius super illas* ᵛ. « Panem » autem Spiritum Sanctum, qui nutrit in uitam aeternam ʷ ; <« suum »> : per credulitatem sibi promissum, ut « tunicas suas », id est sibi promissas, quibus cooperiri optant ; 25 denique ait Paulus : *Oportet hanc fragilitatem inuiolantiam et mortale hoc uestiri immortalitatem* ˣ. « Auferri improperium suum » : improperium est peccatum pristinum quod aufertur in baptismo <et incipit uocari homo Christianus>, quod est : « Inuocetur nomen tuum super nos ». In his ergo 30 septem ecclesiis puta fieri de una ecclesia.

2,2-5 **8.** Pro qualitate fidei et electionis aut ad eos scripsit qui et laborant in saeculo et operantur de frugalitate laboris sui et patientes sunt et, cum uideant quosdam homines in ecclesia dissipatores et pestiferos, ne dispersio fiat, portant illos ; 5 admonet tantum eos de amore in quo fides desit, ut agant

u. I Tim. 3, 15 ‖ v. Is. 4, 1 ‖ w. cf. Jn 6, 51 ‖ x. I Cor. 15, 53

aux Colossiens ; par la suite, pour ne pas dépasser le nombre de sept Églises, il écrivit à des individus, et, dans la lettre à Timothée, il fait un bref résumé de son enseignement en disant : "Ceci pour que tu saches comment tu dois te comporter dans la maison de Dieu et ce qu'est l'Église du Dieu vivant ᵘ."

Ce symbole a été prophétisé par l'Esprit-Saint par l'intermédiaire d'Isaïe, ainsi que nous le lisons dans l'histoire des "sept femmes qui se saisirent de l'homme unique." "L'homme unique" est le Christ, parce qu'il n'est pas né de semence d'homme. Les "sept femmes" sont les Églises, qui reçoivent "leur pain", sont enveloppées de "leur tunique", et demandent que "leur opprobre leur soit enlevé et que son nom soit invoqué sur elles ᵛ." "Le pain", c'est l'Esprit-Saint qui nourrit pour la vie éternelle ʷ. C'est "leur" pain parce qu'il leur a été promis moyennant la foi ; pareillement "leur tunique" signifie celle qui leur a été promise, celle dont elles souhaitent être couvertes. Car Paul dit : "Il faut que notre fragilité revête l'incorruptibilité, et que notre être mortel revête l'immortalité ˣ." Elles veulent que "leur opprobre leur soit enlevé" : l'opprobre est l'antique péché, qui est enlevé lors du baptême, quand l'homme commence à être appelé chrétien, ce qui est le sens de l'expression "que ton nom soit invoqué sur nous". Ainsi, songes-y bien : quand on parle de ces sept Églises, c'est de l'Église unique qu'il est question.

Lettres aux sept Églises **8.** Les lettres sont modulées selon la qualité de la foi et de l'élection des communautés ; Jean écrit à ceux qui peinent dans le siècle, travaillent à porter les fruits de leur peine, remplis de patience, et qui, bien que voyant dans l'Église des hommes qui la détruisent et la mènent à sa perte, les supportent pour éviter la dispersion de la communauté. Il leur donne seulement un avertissement à propos de

2,2-5

2,9-11 paenitentiam ; — aut ad eos qui locis crudelibus inhabitant
2,14-16 inter persecutores et perseuerant esse fideles ; — aut ad eos
qui sub praetextu misericordiae inlicita peccata in ecclesia
2,18-19 inducendo docent alios ea facere ; — aut ad eos qui sunt in
3,2 10 ecclesia faciles ; — aut ad eos qui neglegentes nomine tan-
3,7-13 tum christiani sunt ; — aut ad eos qui humiliter instructi in
3,14-22 fide fortiter perseuerant ; — aut arguit eos qui student scripturis et laborant cognoscere arcana praedicationis et Dei
opus facere ʸ nolunt, id est misericordiam et amorem ;
15 omnibus paenitentiam denuntiat, omnibus iudicium adnuntiat.

2,2 **II, 1.** In prima quidem epistola ait : *Scio laborem tuum
et opera <et patientiam> tuam,* scio te laborare et operari
uideo et patientem esse : ne putes me longe morare abs te.
2,2-3 *Et quia non potes portare malos et qui se dicunt apostolos
5 esse, inuenisti eos mendaces et patientiam habes propter
nomen meum.* Haec uniuersa ad laudem spectant, et laudem
non mediocrem. Sed et tales uiros et talem classem talesque
electionis homines oportet omnimodo admoneri ne debitis
sibi bonis fraudentur. Pauca dixit se habere aduersus illos :
2,4-5 10 *Amorem tuum,* inquit, *pristinum deseruisti : memento unde
cecideris.* Qui cadit, de alto cadit ; et ideo ait *unde,* quia
omnino usque ad nouissimum amoris opera exercenda sunt,
quod est principale mandatum ᵃ. Denique, nisi fiat, minatus
2,5 est *mouere candelabrum de loco suo,* id est spargere plebem.
2,6 15 *Odire se autem opera Nicolaitarum quae et ipse odio habebat,* hoc ad laudem spectat. *Nicolaitarum* autem *opera* : ante
illud temporis ficti homines <et> pestiferi nomine Nicolai

y. cf. Jn 6, 28.29
II. a. cf. Matth. 22, 38

l'amour, où ils manquent de fidélité, pour qu'ils fassent
pénitence. Il écrit aussi à ceux qui habitent en des lieux inhu-   2,9-11
mains au milieu des persécuteurs et qui persévèrent dans la
fidélité. A ceux qui sous prétexte de miséricorde admettent   2,14-16
dans l'Église des péchés abominables, enseignant par là aux
autres à en faire autant. A ceux qui dans l'Église sont trop   2,18-19
permissifs. A ceux qui sont négligents et n'ont de chrétien   3,2
que le nom. A ceux qui, malgré une humble formation, per-   3,7-13
sévèrent avec courage dans la foi. Il réprimande ceux qui   3,14-22
étudient les Écritures et s'évertuent à connaître les mystères
de la doctrine, mais sans vouloir accomplir l'œuvre de
Dieu ʸ, qui est miséricorde et amour. A tous, il enjoint la
pénitence, à tous, il annonce le jugement.

II, 1. Il dit en effet dans la première lettre : « Je connais   2,2
ton labeur, tes œuvres et ta patience » ; je sais que tu peines,
je vois que tu œuvres et que tu es persévérant ; ne va pas
croire que je suis loin de toi ; « je sais que tu ne peux sup-   2,2-3
porter les méchants, et ceux qui se disent apôtres, tu les as
trouvés menteurs, et tu endures patiemment à cause de mon
nom. » Tout cela tend à la louange, et une louange hors du
commun. Mais même cette catégorie de gens-là, ces hommes
d'élection, doivent recevoir toute sorte d'admonitions pour
n'être pas frustrés des biens qui leur sont dus. Il a dit qu'il
avait des reproches à leur faire, peu nombreux : « Ton   2,4-5
amour premier, dit-il, tu l'as abandonné. Souviens-toi d'où
tu es tombée. » Celui qui tombe, tombe d'en haut ; c'est
pourquoi il a dit « d'où » ; car il faut absolument pratiquer
l'œuvre d'amour jusqu'au dernier moment ; c'est le principal commandement ᵃ. Bref, si cela ne se fait, il menace
d'« ôter le chandelier de sa place », c'est-à-dire de disperser   2,5
la communauté. « Ils haïssent les œuvres des Nicolaïtes, que   2,6
lui-même hait » : cela tend à la louange. « Les œuvres des
Nicolaïtes » : dès avant cette époque, des hommes hypo-
crites et pernicieux firent un schisme en se couvrant du nom

ministri fecerant sibi heresim, ut delibatum exorcizaretur ut
manducari posset et ut quicumque fornicatus esset octaua
die pacem acciperet. Ideo collaudat illos ad quos scripsit,
2,7 20 quibus talibus et tam magnis uiris promisit *lignum uitae
quod est in paradiso Dei sui.*

2. Sequens epistola sequentem conuersationem alterius
2,9 classis et consuetudinis detegit. Denique ait : *Scio uos et
pauperes esse et laborare, sed diuites estis* : scit enim apud
se talibus diuitias esse reconditas, et *detractationem de
5 Iudeis quos negat esse Iudeos, sed synogogam Satanae,* quoniam <ab> Antichristo colliguntur, quibus ait ut perseue-
2,10-11 rent *usque ad mortem,* et *qui perseuerauerit, non laedetur a
morte secunda,* id est non castigabitur in inferno.

3. Tertia classis sanctorum ostendit esse uiros qui fortes
sunt in fide [b] et non expauescunt persecutionem. Sed quia in
2,16 illis alii proni sunt ad illicitas permissiones, ait : *Pugnabo
cum illis gladio oris mei,* id est, quid praeceperim dicam et
2,14 5 quid feceritis conferam. Nam *Balaam doctrinam docebat
mittere scandalum ante oculos filiorum Israel, esse delibata
et fornicari* : olim notum est ; ille enim hoc consilium dedit
2,15 regi Moabitarum et sic scandalizauerat populum [c]. *Sic,*
inquit, *et uos habetis inter uos tenentes <talem> doctrinam*
2,17 10 et sub praetextu misericordiae alios uitiatis. *Qui uicerit,*
inquit, *dabo illi de manna absconsum. <manna absconsum>*
immortalitas est, *gemma alba* adoptio est in filium Dei,
nomen nouum christianum est.

4. Quarta classis nobilitatem fidelium operantium cotidie
et maiora facientium opera significat. Sed et ibi quoque esse
faciles homines ad illicitas paces dandas et nouas prophetias

b. cf. I Pierre 5, 9 ǁ c. cf. Nombr. 25, 1. 2 ; 31, 16

du diacre Nicolas. On y exorcisait les viandes immolées aux
idoles pour pouvoir les manger, et quiconque avait pratiqué
la fornication obtenait la réconciliation au bout de huit
jours. Aussi loue-t-il les destinataires de la lettre, et à ces
nobles âmes il promet « l'arbre de vie qui est dans le para-   2,7
dis de son Dieu. »

   2. La lettre suivante dévoile la façon de vivre suivante,
celle de la deuxième catégorie et du deuxième mode. Il dit
ensuite : « Je sais que vous êtes pauvres et que vous peinez   2,9
— mais vous êtes riches ! » Il sait en effet que ces hommes
ont des richesses cachées auprès de lui, il sait « la calomnie
des juifs dont il dit qu'ils ne sont pas des juifs, mais une
synagogue de Satan », parce que assemblés par l'Antéchrist.
Il leur dit de persévérer « jusqu'à la mort » et ajoute : « Celui   2,10-11
qui aura persévéré, la seconde mort ne l'atteindra pas », ce
qui veut dire : il ne sera pas châtié en enfer.

   3. La troisième catégorie de saints montre des hommes
forts dans la foi [b], ne redoutant pas la persécution. Mais parce
que chez eux certains sont enclins à une permissivité illicite,
il dit : « Je les combattrai de l'épée de ma bouche », c'est-à-   2,16
dire : j'énoncerai mes préceptes et les comparerai à vos actes.
Car « Balaam enseignait à tendre un piège devant les fils   2,14
d'Israël, à manger des viandes sacrifiées et à pratiquer la fornication. » La chose est depuis longtemps connue : il avait
donné ce conseil au roi des Moabites et avait ainsi été occasion de chute pour le peuple [c]. « Ainsi, est-il dit, vous avez   2,15
parmi vous des tenants de cette doctrine » et sous prétexte
de miséricorde, vous corrompez les autres. « Au vainqueur,   2,17
dit-il, je donnerai de la manne cachée. » « La manne cachée »
est l'immortalité ; « le caillou blanc » est l'adoption comme
fils de Dieu ; « le nom nouveau » est celui de chrétien.

   4. La quatrième catégorie désigne une élite de fidèles qui
œuvrent chaque jour et accomplissent de grandes œuvres.
Mais il montre qu'il y a là aussi des hommes qui accordent
trop facilement des réconciliations illicites et attachent de

adtendendas ostendit et arguit et praemonet ceteros, quibus
5 non placet hoc fieri, qui cognoscunt nequitias aduersarii,
quibus malis et dolis quaerit inducere in capita fidelium per-
2,14 icula, et ideo ait : *Non mitto super uos aliud pondus* <id est
non dedi uobis legis obseruationes et onera, quod est *aliud
2,25-26 pondus*>, *ut quod habetis teneatis, donec uenio. Et qui uice-
10 rit dabo illi potestatem super nationes,* id est iudicem illum
2,28 constituam inter ceteros sanctos. *Et stellam matutinam
dabo illi* : primam resurrectionem scilicet promisit ; *stella*
enim *matutina* noctem fugat et lucem adnuntiat, id est diei
initium.

III, 1. Quinta classis, electio aut conuersatio sanctorum,
declarat homines neglegentes, aliud quam quod oportet
in saeculo agentes, opere inanes, nomine tantummodo
Christianos. Et ideo hortatur illos, si quo modo reuersi <a>
3,2 5 neglegentia periclitanti possint salui esse. *Stabili,* inquit, *ea
quae mortua erant ; non enim inuenio opera tua plena
coram domino meo.* Non enim satis est arborem uiuere <et
uirere> et fructum non habere [a] ; sic nec satis est christianum dici et se ipsum confiteri et christiani opera non habere.
2. Sexta classis, conuersatio electionis optimae, consue-
tudo sanctorum <declaratur, horum scilicet qui humiles in
saeculo et rusticani in scripturis et fidem immobiliter tenent
nec omnino ullo casu timefacti retrahuntur a fide. Ideo ait
3,8 3,10 5 ad illos : *Dedi ante uos ostium apertum* et ait : *Quoniam
seruasti uerbum patientiae meae,* in tam paruis uiribus, *et*

III. a. cf. Lc 13, 6-9

l'importance à des prophéties nouvelles, et il les convainc d'erreur. Il avertit les autres, ceux à qui ne plaisent pas ces agissements, ceux qui reconnaissent les astuces de l'adversaire, les méchancetés et les ruses par lesquelles il cherche à attirer des périls sur la tête des fidèles, et c'est pourquoi il dit : « Je ne vous imposerai pas d'autre fardeau » ; c'est-à-   2,14 dire : je ne vous ai pas donné les observances et le faix de la Loi — c'est « l'autre fardeau » —, « pour que, ce que vous   2,25-26 avez, vous le teniez ferme jusqu'à ma venue. » « Au vainqueur, je donnerai pouvoir sur les nations » ; c'est-à-dire : je l'établirai juge au milieu de tous les saints. « Et je lui don-   2,28 nerai l'étoile du matin » : c'est la première résurrection qu'il leur promet, car « l'étoile du matin » met la nuit en fuite et annonce la lumière, c'est-à-dire le début du jour.

III, 1. La cinquième catégorie, élection ou genre de vie des saints indique les hommes négligents, qui se comportent autrement qu'il ne faudrait dans le monde, sont dénués de bonnes actions et ne sont chrétiens que de nom. C'est pourquoi il les exhorte, pour le cas où, revenant de la négligence qui les met en péril, ils pourraient encore être sauvés. « Affermis, dit-il, ce qui est près de mourir ; car je ne trouve   3,2 pas tes œuvres pleines aux yeux de mon Dieu. » C'est qu'un arbre ne peut pas se contenter d'être vivant et vert sans porter de fruit [a]. De même, on ne peut se contenter d'être dit chrétien et de confesser soi-même être chrétien, sans avoir les œuvres d'un chrétien.

2. La sixième catégorie, le meilleur genre de vie de l'élection, est désignée comme la façon de vivre des saints, à savoir des humbles de ce monde, dont la connaissance des Écritures est fruste, mais qui se tiennent inébranlablement à la foi, et qu'aucun événement que ce soit n'effraie ni n'éloigne de la foi. C'est pourquoi il leur est dit : « J'ai placé   3,8 devant vous une porte ouverte », et aussi « parce que tu as   3,10 gardé ma parole de persévérance », alors que tes forces

ego te seruabo de hora temptationis ut sciant huiusmodi gloriam suam, nec quidem in temptationem eos tradi permittit.
3,12 *Qui uicerit,* inquit, *fiet columna> in templo Dei* : columna
10 autem decor est aedificii, id est, qui perseuerauerit, tantam
nobilitatem in ecclesia consequetur.

3. Haec quoque electio, septima classis, declarat homines
locupletes, credentes in dignitatibus collocatos, sed credentes ut homines locupletes, apud quos in cubiculo scrip-
turae quidem tractantur, foris autem an sint fideles a
5 nemine intelleguntur, scilicet iactantes et dicentes se omnia
cognoscere, praediti fiducia litteraturae, opera autem
3,15 uacantes. Et ideo ait ad illos *neque frigidos neque calidos*
eos esse, id est neque incredibiles <neque fideles> ; ad
omnes enim omnia sunt [b]. Et quoniam qui *neque frigidus*
3,16 10 *neque calidus est,* *tepidus* sit necesse est ut nausiam faciat :
Et euomam eum, inquit, *de ore meo.* Nausia quam sit odi-
bilis neminem latet ; sic et huiusmodi homines, cum fuerint
3,18 proiecti. Sed quia tempus est paenitentiae ait : *Consulo tibi,*
emas a me aurum conflatum, id est si quo modo poteris pro
15 nomine Domini aliquid pati. *Et collirio,* inquit, *inunge ocu-*
los tuos, id est ut quod libenter cognoscis per scripturas, hoc
et opus facere coneris. Et quoniam si huius<modi>
homines de magno excidio ad magnam redeant paenitentiam, non solum sibi utiles esse, sed multis prodesse pos-
3,21 20 sunt, non mediocrem mercedem eis promisit, id est : *sedere*
super tronum iudicii.

b. cf. I Cor. 6, 22

étaient si limitées, « moi aussi, je te garderai de l'heure de la
tentation » ; pour que de telles gens connaissent sa gloire, il
ne permet même pas qu'ils soient soumis à la tentation. « Le   3,12
vainqueur, dit-il, deviendra colonne dans le temple de
Dieu. » Or, une colonne est la parure d'un édifice ; cela veut
donc dire : celui qui aura persévéré obtiendra grande noto-
riété dans l'Église.

3. Cette élection aussi, la septième catégorie, présente les
riches, des croyants qui occupent un rang élevé, croyants,
certes, mais à la manière des riches. Chez eux, dans leurs
alcôves, on débat sur les Écritures, mais au dehors, personne
ne peut deviner s'ils sont chrétiens. Car ils parlent avec suf-
fisance et prétendent tout savoir, forts de l'assurance que
donne l'érudition ; mais d'œuvres, point. C'est pourquoi on
leur dit « qu'ils ne sont ni froids ni chauds », c'est-à-dire ni   3,15
incrédules ni croyants. Ils sont en effet tout à tous [b]. Et
puisque « celui qui n'est ni froid ni chaud » est forcément
« tiède », à donner la nausée, il est dit : « Je te vomirai de ma   3,16
bouche. » Combien il est répugnant de vomir n'échappe à
personne. Répugnants seront aussi ces gens-là quand ils
auront été rejetés. Mais parce que c'est le temps de la pénitence, il leur est dit : « Je te conseille de m'acheter de l'or   3,18
purifié », c'est-à-dire de souffrir un peu pour le nom du
Seigneur, si tu en as la possibilité. « Oins tes yeux d'un col-
lyre », est-il dit aussi, c'est-à-dire : ce que tu apprends de
bon cœur dans l'Écriture, efforce-toi de le mettre en pratique. Si toutefois de tels hommes font retour sur eux-
mêmes et passent de la grande perdition à un grand repentir, ils peuvent être utiles non seulement à eux-mêmes, mais
à de nombreux autres ; aussi leur promet-on une récompense hors du commun : « siéger sur le trône » du jugement.   3,21

4,1   **IV, 1.** *Ostium apertum,* inquit, *in caelo* : noui testamenti
praedicationem uidet Iohannes et dicitur ei : *Ascende huc.*
Quando apertum ostenditur, clausum fuisse ante hominibus
manifestum est. Satis autem et plene patefactum est, quando
5   Christus cum corpore in caelis ad Patrem ascendit. Vocem
autem quam audierat, cum dicat illam secum locutam esse :
sine contradictione arguuntur contumaces ipsum esse qui
uenit ipsum quem <per> prophetas locutum. Iohannes enim
ex circumcisione erat et omnis ille populus ueteris testa-
10 menti praedicationem audierat, illa uoce aedificatus erat. *Illa*
enim uox, inquit, *quam audieram, illa mihi dixit : Ascende*
1,13   *huc* : id est Iesus Christus quem paulo ante quasi filium
hominis inter candelabra aurea se uidisse fatetur. Et nunc
exinde recolit quae per legem in similitudinibus praenun-
15 tiata erant, et per hanc scripturam coniungit omnes priores
prophetas et adaperit scripturas. Et quia postquam inuitauit
in caelum omnes credentes in nomine suo [a] Dominus noster, statim Spiritum Sanctum effudit, qui laturus est homi-
4,2   nem ad caelum, ait : *Statim factus sum in spiritu.* Et cum
20 aperiatur per Spiritum Sanctum mens fidelium, illud illis
manifestatur quod et prioribus est praedicatum.

4,2-3   **2.** Significanter *solium positum,* quod est sedes iudicii et
regis ; *super* quem *solium* uidisse se ait *similitudinem iaspi-*
dis et sardi, quia iaspis aquae color est et sardius ignis, haec
duo testamenta posita esse usque ad consummationem orbis
5   super tribunal Dei exinde manifestabatur ; quorum iudiciorum duum unum iam consummatum est in cataclismo per
4,3   aquam, aliud autem per ignem consummabitur. *Iris* autem

IV. a. cf. Jn 1, 12 ; 2, 23 ; etc.

**La vision
du trône**

IV, 1. « Une porte fut ouverte 4,1
dans le ciel », dit le texte : c'est la
prédication du Nouveau Testament
que voit Jean, et il lui est dit : « Monte ici. » Puisque, dans
la vision, la porte est montrée ouverte, il est manifeste
qu'elle était auparavant fermée aux hommes. Elle fut vraiment et pleinement ouverte, quand le Christ monta corporellement aux cieux vers le Père. Quand il dit que la voix
qu'il avait déjà entendue lui a parlé, cela prouve sans
conteste aux incrédules que celui qui vient est bien le même
que celui qui a parlé par les prophètes. Jean, en effet, venait
de la Circoncision, et tout son peuple avait entendu la prédication de l'Ancien Testament ; il avait été formé par cette
voix. Car, cette voix dont il dit : « La voix que j'avais entendue me dit : 'Monte ici' », c'est Jésus-Christ, dont il déclare
un peu plus haut qu'il l'a vu comme un fils d'homme au 1,13
milieu des candélabres d'or. Or, ici encore est repris ce qui
avait été annoncé en figures par la Loi ; par ce texte de l'É-
criture sont récapitulés tous les prophètes antérieurs et le
sens des Écritures est ouvert. Et parce que, dès que notre
Seigneur eut invité au ciel tous ceux qui croient en son
nom [a], il a répandu l'Esprit-Saint qui doit mener l'homme
au ciel, Jean dit : « Aussitôt, je fus en esprit. » Étant donné 4,2
que l'Esprit-Saint ouvre l'intelligence des croyants, ce qui
aux hommes d'autrefois fut seulement annoncé est maintenant rendu manifeste aux croyants.

2. Il est significatif que ce soit « un trône qui soit placé », 4,2-3
parce que c'est le siège du jugement, le siège royal ; « sur ce
trône », Jean dit avoir vu « une ressemblance de jaspe et de
sardoine ». Parce que le jaspe est couleur d'eau et la sardoine
couleur de feu, il était manifesté par là que les deux
Testaments sont placés sur le trône de Dieu jusqu'à la
consommation du monde. Un des deux jugements a déjà été
accompli par l'eau lors du déluge ; le second sera accompli
par le feu. « Le halo (*iris*) autour du trône » est couleur de 4,3

circum solium ardentem colorem habet ; iris autem arcus
dicitur, de quo etiam ad Noe et filios suos locutus est Deus,
10   ne iam timerent inrigationem aquae. *Statuam,* inquit, *arcum*
4,6   *meum in nubibus* ᵇ, ne iam aquam timeatis sed ignem. *Ante*
solium autem *tamquam mare uitreum simile cristallo* :
donum est baptismi, quod per Filium suum paenitentiae
tempore, antequam iudicium inducat, effundit ; ideo *ante*
15   *solium,* id est ante iudicium. Cum autem dicat *mare uitreum*
simile cristallo, aquam mundam, non uento agitatam, non
profluuio defluentem, sed tamquam donum Dei immobilem
traditam ostendit.

4,7-8   **3. <*Quattuor animalia*>** quattuor sunt euangelia.
Primum, inquit, *simile leoni, secundum simile uitulo, ter-*
tium simile homini, quartum simile aquilae uolanti ;
<habentes> alas senas in circuitu, oculos et intus et deforis :
5   *et non cessant dicere,* inquit <ἅγιος, ἅγιος, ἅγιος>, *sanctus*
sanctus sanctus Dominus Deus omnipotens.

4,10   *Sedentes XXIIII seniores habentes tribunalia XXIIII* :
libri <sunt> prophetarum et legis referentes testimonia iudicii. Sunt autem uiginti quattuor patres duodecim apostoli et
10   duodecim patriarchae. Animalia igitur quod differenti uultu
sunt, hanc habent rationem.

4,7   **4. *Simile leoni animal*** euangelium cata Iohannem, quod,
cum omnes euangelistae hominem factum Christum praedi-
cauerunt, ille autem illum antequam descenderet et carnem
sumeret deum praedicauit dicendo : *Deus erat verbum* ᶜ et
5   quoniam tamquam leo fremens exclamauit, leonis uultum
sustinet praedicatio eius. Hominis Matheus enititur enun-
tiare nobis genus Mariae, unde carnem accepit Christus.
Ergo dum enumerat ab Abraham usque ad Dauid et ab
Dauid usque ad Ioseph ᵈ, tamquam de homine locutus est ;

b. Gen. 9, 13 ‖ c. Jn 1, 1 ‖ d. cf. Matth. 1, 1-16

feu. Or, on appelle aussi *iris* l'arc-en-ciel dont Dieu parla à
Noé et à ses fils, les invitant à n'avoir plus peur du débor-
dement des eaux : "J'établirai, dit-il, mon arc au milieu des
nuées [b]", pour que désormais vous ne craigniez plus l'eau
mais le feu. « En avant du trône, il y a comme une mer de   4,6
verre semblable à du cristal » : c'est le don du baptême, que
Dieu répand par son Fils avant de déclencher le jugement.
Aussi est-il « en avant du trône », ce qui veut dire avant le
jugement. En parlant d'une « mer de verre semblable à du
cristal », le texte veut montrer une eau pure, que n'agitent
pas les vents, qui ne coule pas, n'est pas instable, mais qui
est immuable parce que don de Dieu.

3. « Les quatre animaux » sont les quatre évangiles. « Le   4,7-8
premier, dit le texte, est semblable à un lion ; le second, semblable à un jeune taureau ; le troisième, semblable à un
homme ; le quatrième, semblable à un aigle en vol. » Ils ont
« six ailes alentour, des yeux à l'intérieur et à l'extérieur, et ils
ne cessent de répéter », dit le texte : « Sanctus, sanctus, sanctus : saint, saint, saint le Seigneur Dieu, le Tout-Puissant. »

« Les vingt-quatre vieillards assis avec leurs vingt-quatre   4,10
trônes » sont les livres des Prophètes et de la Loi, qui rap-
portent les témoignages sur le jugement. D'autre part, il y a
vingt-quatre pères : douze apôtres et douze patriarches. Les
animaux, donc, ont tous un visage différent pour la raison
que voici.

4. « L'animal semblable à un lion » est *l'Évangile selon*   4,7
Jean : les autres évangélistes ont en effet annoncé le Christ
fait homme, tandis qu'il a, lui, annoncé le Christ qui était
Dieu avant qu'il ne descendît et ne prît chair, par ces
paroles : "Le Verbe était Dieu [c]." Et parce que sa voix est
forte comme celle du lion rugissant, son annonce revêt le
visage du lion. La figure d'homme revient à Matthieu, qui
s'efforce de nous exposer la lignée de Marie, dont le Christ
reçut la chair ; par l'énumération des générations d'Abraham
à David et de David à Joseph [d], il a donc parlé du Christ en

10 ideo praedicatio eius effigiem hominis accepit. Lucas
quoque <a> sacerdotio Zachariae offerentis hostiam pro
populo et apparente sibi angelo dum enumerat ᵉ, propter
sacerdotium et hostiam ipsa conscriptio uituli tulit imaginem. Marcus interpres Petri ea quae in munere docebat
15 commemoratus conscripsit sed non ordine, et incipit pro-
phetiae uerbo per Esaiam praenuntiato ᶠ.

Incipiunt ergo sic dicendo. Iohannes : *In principio erat*
Verbum et Verbum erat apud Deum et Deus erat Verbum ᵍ ;
haec facies leonis. Matheus autem : *Liber generationis Iesu*
20 *Christi filii Dei filii Dauid filii Abrahae* ʰ ; haec facies hominis. Lucas autem sic : *Fuit sacerdos nomine Zacharias de uice*
Abia <et> mulier illi erat de filiabus Aaron ⁱ ; haec est imago
uituli. Marcus incipit sic : *Initium euangelii Iesu Christi*
sicut scriptum est in Esaia ʲ ; aduolante Spiritu coeptum est,
25 ideo uolantis aquilae habet et effigiem.

Non solum autem Spiritus propheticus sed et ipsum
Verbum Dei Patris omnipotentis, qui est filius ipsius,
Dominus noster Iesus Christus, fert easdem imagines in
tempore aduentus sui ad nos. Et cum praedicatus esset *tam-*
30 *quam leo et tamquam catulus leonis* ᵏ, propter salutem
hominum homo factus est ad mortem deuincendam et
uniuersos liberandos ; quod se ipsum obtulerit hostiam Deo
Patri pro nobis, uitulus dictus est ; et quod morte deuicta
ascenderit in caelis extendens alas suas et protegens plebem
35 suam, aquila uolans nominatus est. <Hae> ergo praedicationes quamuis quattuor sint, una tamen praedicatio est,
quia de uno ore processit, sicut fluuius in paradiso de uno
fonte in quattuor partes diuisus est ˡ.

---

e. cf. Lc 1, 8-11 ‖ f. cf. Mc 1, 2 ‖ g. Jn 1, 1 ‖ h. Matth. 1, 1 ‖ i. Lc 1,
5 ‖ j. Mc 1, 1-2 ‖ k. Gen. 49, 9 ‖ l. cf. Gen. 2, 10

tant qu'homme. Aussi son annonce a-t-elle revêtu la figure
de l'homme. De même, comme Luc fait commencer son récit
au sacerdoce de Zacharie offrant une victime pour le peuple
ainsi qu'à l'apparition de l'ange [e], sa rédaction des faits a reçu
l'image du veau à cause du sacerdoce et de la victime. Marc,
porte-parole de Pierre, a composé son évangile pour rappe-
ler ce que Pierre enseignait dans sa mission, mais il ne l'a pas
fait dans l'ordre, et il commence par la parole prophétique
annoncée par Isaïe [f].

Voici donc les paroles par lesquelles ils commencent.
Jean : "Au commencement était le Verbe, et le Verbe était
auprès de Dieu et le Verbe était Dieu [g]" — c'est la face de
lion. Matthieu : "Livre de la genèse de Jésus-Christ, fils de
Dieu, fils de David, fils d'Abraham [h]" — c'est la face
d'homme. Quant à Luc, voici ce qu'il écrit : "Il y avait un
prêtre de la classe d'Abia nommé Zacharie, et sa femme
appartenait aux filles d'Aaron [i]" — c'est l'image du veau.
Marc débute ainsi : "Commencement de l'évangile de Jésus-
Christ, ainsi qu'il est écrit en *Isaïe* [j]." Cet évangile commence sous le vol de l'Esprit ; c'est pourquoi il est repré-
senté par la figure de l'aigle en vol.

Non seulement l'Esprit prophétique, mais aussi le Verbe
même de Dieu le Père tout puissant, c'est-à-dire son Fils,
notre Seigneur Jésus-Christ, est désigné par les mêmes symboles au temps de sa venue vers nous. La prophétie parlait
de lui "comme d'un lion et d'un petit de lion [k]" : il s'est fait
homme pour le salut des hommes, pour vaincre la mort et
libérer l'univers. Parce qu'il s'est volontairement offert pour
nous en victime à Dieu le Père, il est appelé veau. Et parce
qu'après sa victoire sur la mort il est monté aux cieux,
déployant ses ailes et protégeant son peuple, il est nommé
aigle en vol. Ainsi donc, ces annonces de l'Évangile, bien
qu'au nombre de quatre, sont une annonce unique, car elles
procèdent d'une bouche unique, tout comme le fleuve du
paradis, issu d'une source unique, se divise en quatre bras [l].

4,8   **5. *Oculos* autem *intus et deforis habere ea animalia*,** id
est praedicationem noui testamenti ; prouidentiam spiritalem ostendit, quae et secreta cordis inspicit et superuenientia uidet [m], quae sunt *intus et deforis. Alae* testimonia uete-
5   ris testamenti sunt librorum ideoque uiginti quattuor sunt,
tot numero quot et seniores super tribunalia. Sicut animal
uolare non potest nisi pennas habeat, sic nec praedicatio
noui testamenti fidem habet, nisi habeat ueteris testamenti
testimonia praenuntiata, per quae tollitur a terra et uolat.
10   Semper enim quod ante dictum est futurum <et> postea factum inuenitur, illud fidem facit indubitabilem. Rursus
tamen et *alae* si non haereant in animalibus, uitam unde tra-
hant non habent. Nisi enim quae praedixerant prophetae in
Christo essent consummata, *inanis fuerat praedicatio illo-*
15   *rum* [n]. Hoc tenet ecclesia catholica et antea praedicata et
postea consummata et merito uolat et tollitur a terra, uiuum
animal. Haeretici autem qui testimonio prophetico non
utuntur, adsunt eis animalia, sed non uolant, quia sunt ter-
rena. Iudaei autem qui non accipiunt noui testamenti prae-
20   dicationem, <adsunt eis *alae,* sed non uiuunt, id est inanem
uaticinationem> hominibus adferunt non audiendam, facta
dictis non conferentes.

Sunt autem libri ueteris testamenti qui excipiuntur uiginti
quattuor, quos in epitomis Theodori inuenimus. Sed et
25   uiginti quattuor ut diximus patres et apostoli : iudicare
populum suum oportet. Interrogantibus enim apostolis et
dicentibus : *Nos his omnibus nostris relictis secuti te sumus ;
quid nobis erit* [o] ? respondit Dominus noster : *Cum sederit
filius hominis super solium gloriae suae, sedebitis et uos super*

---

m. cf. Sir. 42, 16.18-20 ‖ n. I Cor. 15, 14 ‖ o. Matth. 19, 27

5. « Les animaux », c'est-à-dire la prédication du 4,8
Nouveau Testament, « ont des yeux dedans et dehors » : cela
montre la prescience de l'Esprit, qui à la fois scrute les secrets
du cœur et voit les choses à venir [m] ; c'est cela que signifie
« dedans et dehors. » « Les ailes » sont les témoignages des
livres de l'Ancien Testament ; c'est pourquoi il y a vingt-
quatre ailes, autant qu'il y a de vieillards sur les trônes. Or,
de même qu'un animal ne peut voler à moins d'avoir des
ailes, la prédication du Nouveau Testament n'est crédible
que si elle possède le témoignage des prophéties de l'Ancien
Testament qui lui permet de s'élever de terre et de voler. En
effet, découvrir qu'un événement prédit s'est réalisé engendre
toujours une foi où il n'y a pas de place pour le doute.
Inversement, supposons que « les ailes » ne soient pas fixées
sur les animaux : d'où tireront-elles la vie ? Si en effet les pré-
dictions des prophètes ne s'étaient accomplies dans le Christ,
"vaine aurait été leur prédication [n]". L'Église catholique, qui
retient à la fois ce qui a été antérieurement annoncé et ce qui
par la suite a été accompli, peut en conséquence, vivant animal, voler et s'élever de terre. Mais les hérétiques, qui rejettent le témoignage des prophètes, ont les animaux, c'est vrai,
mais ils ne volent pas, car ils sont terrestres. Quant aux juifs,
qui ne reçoivent pas la prédication du Nouveau Testament,
ils ont « les ailes », mais ne sont pas vivants : c'est une vati-
cination vaine et inaudible qu'ils apportent aux hommes,
parce qu'ils ne confrontent pas les faits avec les paroles.

Les livres de l'Ancien Testament qui sont reçus sont,
comme nous le trouvons dans les *Epitomae* de Théodore,
au nombre de vingt-quatre ; et il y a aussi, nous l'avons dit,
vingt-quatre patriarches et apôtres qui doivent juger leur
peuple. En effet, aux apôtres qui prenaient la parole pour
dire : "Nous qui avons laissé tout cela pour te suivre, qu'ad-
viendra-t-il de nous [o] ?", le Seigneur répondit : "Lorsque le
Fils de l'homme siègera sur le trône de sa gloire, vous ausi,
vous siègerez sur douze trônes pour juger les douze tribus

30 *duodecim tribunalia iudicantes duodecim tribus Israel* ᵖ. Sed
et de patribus quia iudicaturi sunt, ait Iacob patriarcha : *Et
ipse iudicabit populum suum inter fratres suos sicut una tribus Israel* �q.

4,5 **6. Exire autem fulgora et uoces et tonitrua a solio Dei et
septem faces \<ignis ardentis\>** : significabat praedicationes
et repromissiones a Deo et minas. Nam *fulgora* aduentum
Domini significabant, *uoces* autem noui testamenti praedi-
5 cationes ; *tonitrua* autem, quod caelestia sunt uerba, *faces*
uero *ignis ardentis* donum Spiritus Sancti, quod cum in
ligno perdiderit primus homo per lignum passionis est redditum.

4,9-10 **7.** Et cum haec \<fierent\>, *cecidisse uniuersos maiores
natu et adorasse Dominum, cum darent animalia gloriam
et honorem* : id est cum euangelium, actio scilicet Domini et
doctrina, adimplesset ante per illos praenuntiatum uerbum,
5 digne meritoque exultabant scientes se rite uerbum Domini
ministrasse ʳ. Denique quia uenerat qui mortem deuinceret
\<et\> coronam immortalitatis solus dignus sumeret, omnes
4,10 quotquot habebant pro gloria aliqua actus sui optimi *coro-
nas, proiecerunt eas sub pedibus eius,* id est propter emi-
10 nentem uictoriam Christi omnes uictorias *sub pedibus eius.*
Hoc et in euangelio suppleuit Spiritus ostendendo, — cum
enim passurus nouissime ueniret Hierosolymis Dominus
noster \<et\> exisset illi populus in obuiam, alii praecisis
ramis palmarum uiam sternebant, alii tunicas suas subicie-
15 bant ˢ, duos scilicet populos ostendens, unum patrum et
prophetarum, magnorum uirorum, qui quascumque habebant uictoriarum suarum palmas contra peccata, Christo eas
sub pedibus eius iaciebant. Palma autem idem significat,
quoniam non datur nisi uictori.

p. Matth. 19, 28 ‖ q. Gen. 49, 16 ‖ r. cf. I Pierre 1, 12 ‖ s. cf. Matth.
21, 8

d'Israël [p]." Que les Pères aussi doivent participer à ce jugement, le patriarche Jacob l'affirme : "Lui-même, au milieu de ses frères, jugera son peuple comme une tribu d'Israël [q]."

6. « Du trône de Dieu sortaient des éclairs, des voix et des tonnerres, et sept torches de feu ardent » : cela signifiait les enseignements, les promesses de Dieu et ses menaces. Car « les éclairs » signifiaient la venue du Seigneur, « les voix », les enseignements du Nouveau Testament, « les tonnerres » que ce sont des paroles célestes ; « les torches de feu ardent » sont le don de l'Esprit-Saint qui, perdu par le premier homme sur le bois nous fut rendu par le bois de la Passion. 4,5

7. Devant ces manifestations, « tous les anciens se prosternèrent et adorèrent le Seigneur, tandis que les animaux rendaient gloire et honneur. » Cela signifie que, lorsque l'Évangile — c'est-à-dire les actions du Seigneur et son enseignement — accomplissait la parole qu'ils avaient par avance annoncée, ils exultaient, à bon droit et à juste titre, conscients qu'ils étaient d'avoir servi la parole du Seigneur comme il le fallait [r]. Enfin, parce qu'était venu le vainqueur de la mort, le seul digne de recevoir la couronne d'immortalité, « tous jetèrent à ses pieds toutes les couronnes » que leur avaient méritées la gloire de leur activité excellente : c'est-à-dire qu'à cause de l'éminence de la victoire du Christ, ils jetèrent « à ses pieds » toutes leurs victoires. Cela est également accompli par l'Esprit dans un récit de l'Évangile : comme notre Seigneur arrivait pour la dernière fois à Jérusalem, où il allait souffrir sa Passion, et que le peuple était sorti à sa rencontre, les uns jonchaient le chemin de branches de palmiers qu'ils avaient coupées, les autres étendaient sous lui leurs vêtements [s]. L'Évangile désigne ici manifestement les deux peuples, dont le premier est celui des Pères et des prophètes, ces grands hommes, qui jetaient « aux pieds » du Christ toutes les palmes de leurs victoires contre le péché. Car la palme a une signification identique à celle de la couronne : on ne la donne qu'aux vainqueurs. 4,9-10 4,10

5,1   **V, 1.** *Esse autem in manu sedentis super tribunal librum*
scriptum deintus, signatus sigillis septem : uetus testamentum significatur, quod est datum in manu Domini nostri qui
5,2-3   accepit a Patre iudicium. *Praeco,* inquit, *praeconauit, an ali-*
5   *quis dignus esset aperire librum et soluere sigilla eius, et*
nemo inuentus est dignus neque in caelo neque in terra
neque infra terram. Aperire autem testamentum pati et pro
hominibus mortem deuincere est. Hoc dignus facere *nemo*
est inuentus neque in angelis *in caelo* neque in hominibus
10   *in terra* neque inter animas sanctorum in requie, nisi solus
5,6   Christus filius Dei, quem dicit uidisse *agnum tamquam*
occisum, habentem cornua numero septem. In illum erat
praedicatum quicquid per uarias oblationes et sacrificia lex
in illo meditata fuerat, ipsum implere oportebat. Et quia ipse
15   erat testator et mortem deuicerat, ipsum erat iustum consti-
tui heredem <a> Deo, ut possideret et substantiam morientis, id est membra humana.

5,5   **2.** Hunc dicit *leonem de tribu Iuda uicisse, radicem*
Dauid. Leonem de tribu Iuda in Genesi legimus, <ubi>
Iacob patriarcha ait : *Iuda, te collaudant fratres tui : et dor-*
misti et surrexisti tamquam leo et tamquam catulus leonis [a].
5   Ad deuincendam enim mortem leo dictus est, ad patiendum
pro hominibus *tamquam agnus ad occisionem adductus est* [b].
Sed quia mortem deuicit et praeuenit carnificis officium,
5,6   *quasi occisus* est dictus. Hic ergo aperit et resignat, quod
ipse signauerat testamentum. Hoc sciens et Moyses legisla-
10   tor, quod oportebat esse signatum et celatum usque ad
aduentum passionis eius, uelauit faciem suam et sic est

V. a. Gen. 48, 8-9 ‖ b. Is. 53, 7

**L'ouverture
du livre**

V, 1. « Dans la main de celui qui   5,1
siège sur le trône du jugement, il y a
un livre, écrit à l'intérieur et scellé de
sept sceaux » : il désigne l'Ancien Testament qui a été remis
aux mains de notre Seigneur, lequel a reçu du Père le jugement. « Le héraut, dit le texte, proclama : 'Existe-t-il quel-   5,2-3
qu'un qui soit digne d'ouvrir le livre et d'en ôter les
sceaux ?' Et personne n'en fut trouvé digne, ni dans le ciel
ni sur la terre ni sous la terre. » Ouvrir le Testament, en
effet, c'est souffrir la Passion et vaincre la mort au profit des
hommes. Cela, « personne ne fut trouvé digne » de le faire,
ni parmi les anges « dans le ciel », ni parmi les hommes « sur
la terre », ni parmi les âmes des saints qui sont dans le repos,
personne sinon le seul Christ, Fils de Dieu, dont Jean dit
qu'il le vit « agneau comme égorgé, avec des cornes au   5,6
nombre de sept. » Tout ce que la Loi avait préfiguré dans
les diverses offrandes et sacrifices a été prophétisé à son
sujet ; c'est lui qui devait l'accomplir. Parce que lui-même
était le testateur et avait vaincu la mort, il était juste qu'il fût
lui-même constitué héritier par Dieu pour entrer en possession des biens de celui qui mourait, c'est-à-dire des membres
de l'homme.

2. C'est de lui que l'on dit : « Il a vaincu, le lion de la tribu   5,5
de Juda, la racine de David. » « Le lion de la tribu de Juda » :
nous lisons l'expression dans la *Genèse,* quand le patriarche
Jacob dit : "Juda, tes frères te célèbrent : tu t'es endormi et
tu t'es relevé, comme un lion et comme un petit de lion [a]."
Pour sa victoire sur la mort, il est appelé lion ; pour sa
Passion en faveur des hommes, il est "comme un agneau
mené à la mort [b]." Mais parce qu'il a vaincu la mort et qu'il
a prévenu l'œuvre du bourreau, on le dit « comme égorgé. »   5,6
C'est donc lui qui ouvre et ôte les sceaux du testament qu'il
avait lui-même scellé. Moïse le législateur, parce qu'il savait
que ce testament devait être scellé et caché jusqu'à l'avènement de sa Passion, se voila le visage et parla au peuple dans

populo locutus ^c, ostendens uelata esse uerba praedicationis
usque ad aduentum temporis Christi. Nam et ipsam legem
cum legisset populo, accepta lana sucida et sanguine uituli
15 et aqua aspersit populum uniuersum dicens : *Hic est sanguis
testamenti de quo mandauit ad uos Dominus* ^d. Animaduer-
tere oportet igitur hominem diligentem praedicationem
uniuersam in unum cohaerere. Nam nec sufficit legem illam
dici quoniam et testamentum nominatur. Nulla lex testa-
20 mentum dicitur nec testamentum aliud nominatur, nisi quod
faciunt morituri ; et quodcumque intrinsecus testati sunt,
signata sunt usque ad diem mortis testatoris. Ideo merito
modo resignatur per *agnum occisum* qui tamquam *leo*
confregit mortem et quae de se praenuntiata fuerant repleuit
25 <et hominem liberauit>, id est carnem de morte, et accepit
possessionem substantiae morientis, id est membrorum
humanorum. Sicut per unum corpus omnes homines debito
mortis successerant, sic per unum corpus uniuersi credentes
in uitam aeternam resurgent ^e. Modo ergo facies Moysi ape-
30 ritur, modo et reuelatur ideoque apocalypsis reuelatio dicitur, modo liber eius resignatur, modo hostiarum oblationes
intelleguntur, modo sacerdotia et Christi mandata et fabri-
catio aedis <et> testimonia aperte intellegitur.

5,8-9 **3.** *XXIIII seniores et quattuor animalia citharas et fialas
habentes, cantantes canticum nouum* : <coniuncta ueteris
testamenti praedicatio cum nouo populum christianum
ostendit *cantantem canticum nouum*>, id est confessionem
5 suam publice proferentium. Nouum est filium Dei homi-

---

c. cf. Ex. 34, 33 ‖ d. Hébr. 9, 19-20 ; Ex. 24, 8 ‖ e. cf. 1 Cor. 15, 20 ;
Rom. 5, 12

cette mise [c], manifestant par là que les paroles de la prédication sont voilées jusqu'à l'avènement du temps du Christ.
Quand Moïse eut fini de lire cette même loi au peuple, il prit
de la laine brute, du sang de taurillon et de l'eau, et asper-
gea le peuple tout entier en disant : "Voici le sang du
Testament au sujet duquel le Seigneur a pour vous donné
des instructions [d]." L'homme diligent doit donc être atten-
tif au fait que l'ensemble de la prédication forme un tout
cohérent. Car il ne suffit pas à l'Écriture d'être appelée Loi,
elle est aussi qualifiée de testament. Or, ce n'est que dans le
cas de dispositions prises par ceux qui vont mourir qu'une
loi est appelée testament et que celles-ci sont qualifiées de
testament. Et toutes les dispositions testamentaires qui se
trouvent dedans sont scellées jusqu'à la mort du testateur.
C'est pourquoi, maintenant, le testament voit ses sceaux
légitimement ôtés par « l'agneau égorgé » qui, tel « un lion »,
a brisé la mort, accompli ce qui avait été prédit à son sujet
et libéré l'homme, c'est-à-dire la chair, de la mort, et est
entré en possession des biens de celui qui mourait, c'est-à-
dire des membres de l'homme. De même qu'à travers le
corps d'un seul tous les hommes étaient devenus débiteurs
de la mort, de même à travers le corps d'un seul, tous ceux
qui croient ressusciteront pour la vie éternelle [e]. Maintenant
donc le visage de Moïse est découvert, maintenant il est
dévoilé, et c'est pourquoi "apocalypse" veut dire révélation ;
maintenant, les sceaux du livre de Moïse sont ôtés, maintenant on comprend les offrandes de victimes, maintenant on
comprend ouvertement les sacerdoces et la fonction de l'oint
de Dieu, la construction du Temple et les prophéties.

3. « Les vingt-quatre vieillards et les quatre animaux,   5,8-9
munis de cithares et de coupes, chantaient le cantique nouveau » : la proclamation de l'Ancien Testament se joint à
celle du Nouveau pour manifester le peuple chrétien « qui
chante le cantique nouveau », c'est-à-dire qui proclame publi-
quement sa confession de foi. Car il est nouveau que le Fils

nem fieri, nouum etiam eumdem ab hominibus morti tradi,
nouum tertia die resurgere, nouum cum corpore in caelis
ascendere, nouum remissionem peccatorum hominibus dari,
nouum Spiritu Sancto signari homines, nouum sacerdotium
10 accipere obsecrationis et regnum exspectare immensae
repromissionis. *Cithara* enim, <corda> extensa in ligno,
significabat corpus Christi, id est carnem Christi passioni
coniunctam ; *fiala* autem confessionem et noui sacerdotii
5,11 propaginem. *Angelorum multorum* : immo omnium,
15 uniuersae electionis domino nostro gratulationem referen-
tium eliberationis hominum de clade mortis.

VI, 1. Resignatio sigillorum, ut diximus, apertio est ueteris testamenti praedicatorum et praenuntiatio in nouissimo
tempore futurorum ; quae licet scriptura prophetica per singula sigilla dicat, omnibus tamen simul apertis sigillis ordi-
6,1-2 5 nem suum habet praedicatio. Nam aperto <*primo*> *sigillo*
cum dicat *se uidisse equum album et equitem coronatum
habentem arcum,* — hoc enim in primo factum est —, postquam enim ascendit in caelis Dominus noster et aperuit
uniuersa [a], emisit Spiritum Sanctum, cuius uerba per praedi-
10 catores tamquam sagittae ad cor hominum pergerent et *uin-
cerent* incredulitatem. Corona autem est praedicatoribus
super caput promissa per Spiritum Sanctum [b]. Ceteri tres
equi, <bella>, famem et pestilentiam in euangelio Dominus
ostendens praedicata manifeste significat [c] ; ideoque ait :

VI. a. cf. Lc 24, 44-49 ‖ b. cf. II Tim. 4, 8 ‖ c. cf. Lc 21, 9-11

de Dieu se fasse homme, nouveau que celui-ci soit livré à la mort par les hommes, nouveau qu'il ressuscite le troisième jour, nouveau qu'il monte corporellement aux cieux, nouveau que la rémission des péchés soit accordée aux hommes, nouveau que les hommes soient marqués du sceau de l'Esprit-Saint, nouveau que leur soit conféré le sacerdoce de l'intercession et qu'ils attendent le Royaume et ses extraordinaires promesses. Car « la cithare », dont les cordes sont tendues sur le bois, désignait le corps du Christ, c'est-à-dire la chair du Christ unie à la Passion ; « la coupe » représente la confession de foi et l'extension du sacerdoce nouveau. Le texte parle « d'anges nombreux » : bien plus, ce sont tous les anges qui transmetttent à notre Seigneur l'action de grâces de tous les élus pour la libération de l'homme arraché au désastre de la mort.

5,11

Les sept sceaux   **VI, 1.** La rupture des sceaux est, comme nous l'avons dit, l'ouverture des prophéties de l'Ancien Testament, et l'annonce de ce qui sera dans les derniers temps. Bien que notre écrit prophétique exprime les événements à venir par des sceaux distincts, c'est seulement après l'ouverture simultanée de tous les sceaux que la prédication peut suivre son cours. Car l'auteur dit qu'à l'ouverture du « premier sceau, il a vu un cheval blanc et un cavalier couronné muni d'un arc » — c'est en effet ce qui se produisit lors du premier sceau. Or, après que notre Seigneur fut monté aux cieux et qu'il eut ouvert toutes choses [a], il répandit l'Esprit-Saint, dont les paroles, telles des flèches, étaient capables d'aller au cœur des hommes par l'intermédiaire des prédicateurs et de « triompher » de l'incroyance. La couronne devait orner la tête des prédicateurs selon la promesse de l'Esprit-Saint [b]. Quant aux trois autres chevaux, notre Seigneur, en montrant dans l'Évangile qu'il y aurait famines, guerres et épidémies, explique clairement cette prédiction [c]. S'il parle de « l'un des

6,1-2

15 *Vnum de animalibus,* quia omnia quattuor unum sunt. *Veni*
autem *et uide* ᵈ : *ueni* dicitur inuitato ad fidem et *uide* dicitur ei qui non uidebat. Ergo *equus albus* uerbum praedicationis cum Spiritu Sancto in orbem missum ; ait enim
Dominus : *Praedicabitur hoc euangelium in toto orbe terra-*
20 *rum in testimonium omnibus gentibus et tunc ueniet finis* ᵉ.

6,5   **2. Equus** autem **niger** famem significat ; ait enim
Dominus : *et erit fames per loca* ᶠ. Proprie autem extendit se
uerbum usque ad Antichristum, id est tempora quando
magna fames est futura quandoque et homines laedentur.
5 *<Statera in manu* : libra examinis, in qua singulorum merita
6,6 ostenderet. Ait enim *uox : Vinum et oleum ne laeseris,* id est
hominem spiritualem ne plagis percusseris. Hic est equuus
niger>.

6,4   *Equus rufus et qui sedebat super illum habens gladium* :
10 bella sunt, quae futura significat, ut legimus in euangelio :
Surget enim gens aduersus gentem et regnum aduersus
regnum et erit terrae motus magnus ᵍ. Hic est equus rufus.

6,8   **3. Equus** autem **pallidus et qui sedebat super illum**
nomen habebat mors. Haec eadem quoque inter ceteras
clades praedicauerat Dominus : uenturas pestes et mortali-
tates ʰ. Cum enim dicat : *Et infernus sequitur illum,* id est
5 exspectat deuorationem animarum multarum impiarum.
Hic est equus pallidus.

6,9   **4. Animas autem occisorum uidisse sub ara,** id est sub
terra. *<Ara>* enim et caelum et terra dicuntur, sicut lex imaginaria ueritatis faciem meditata duas aras, auream intrinsecus *<et aeream extrinsecus>,* fecerat ⁱ. Nos autem intellegi-
5 mus aram caelum dici a Domino nostro nobis testimonium
perhibente ; ait enim : *<Cum offeres munus tuum> ad aram,*

d. cf. Jn 1, 39. 46. ‖ e. cf. Matth. 24, 14 ‖ f. Matth. 24, 7 ‖ g. Lc 21, 10-
11 ‖ h. cf. Lc 21, 11 ‖ i. cf. Ex. 30, 3 ; 27, 2

animaux », c'est parce que les quatre ne font qu'un. « Viens et vois [d] » : il est dit « viens » à l'homme invité à la foi, et « vois » à celui qui ne voyait pas. Le « cheval blanc » est donc la parole de la prédication envoyée dans le monde avec l'Esprit-Saint, car le Seigneur a dit : "Cet Évangile sera prêché dans le monde entier en témoignage pour toutes les nations, et alors viendra la fin [e]."

2. « Le cheval noir » signifie la famine. Car le Seigneur **6,5** dit : "Il y aura aussi des famines en divers endroits [f]." Cette parole s'applique spécialement au temps de l'Antéchrist, époque où il y aura une grande famine qui fera du tort aux hommes mêmes. « La balance à la main » est la balance du jugement qui doit manifester les mérites de chacun. « Une **6,6** voix » dit en effet : « Ne fais pas de tort au vin et à l'huile », c'est-à-dire, ne frappe pas de fléaux l'homme spirituel. Voilà pour le cheval noir.

« Un cheval roux, et celui qui le montait avait un glaive » : **6,4** par là sont signifiées les guerres à venir, selon ce qu'on lit dans l'Évangile : "On se dressera nation contre nation et royaume contre royaume, et il y aura un grand tremblement de terre [g]." Voilà pour le cheval roux.

3. « Un cheval blême, et celui qui le montait avait pour **6,8** nom "Mort" ». Le Seigneur avait, entre autres catastrophes, prédit qu'il y aurait aussi des pestes et des épidémies [h]. Quand Jean ajoute « Et l'Enfer le suit », cela revient à dire qu'il attend pour engloutir nombre d'âmes impies. Tel est le cheval blême.

4. Jean « a vu sous l'autel les âmes de ceux qui furent **6,9** égorgés », c'est-à-dire sous la terre. Car aussi bien le ciel que la terre sont appelés « autel » : c'est ainsi que la Loi, préfigurant en images la vérité qui se manifesterait le visage découvert, avait fait deux autels, l'un d'or à l'intérieur, l'autre de bronze à l'extérieur [i]. Nous comprenons, quant à nous, que le terme d'autel désigne le ciel, d'après le témoignage que nous donne notre Seigneur. Il dit en effet :

— utique munera nostra orationes sunt quas efficere debemus — *et ibi recordatus fueris habere aliquid fratrem tuum
aduersus te, relinque ibi munus tuum* j. Vtique ad caelum
10   ascendunt orationes. Sicut ergo caelum intellegitur ara aurea,
quae erat interior — nam et sacerdos semel introibat in templum in anno, qui habebat Christi mandatum, ad aram
auream k : significabat Spiritus Sanctus hoc esse facturum, id
est quod passus est, semel factum est l —, sic et aerea terra
15   intellegitur, sub qua est infernum, remota a poenis et igni-
bus regio, requies sanctorum, in qua quidem uidentur ab
impiis et audiuntur iusti, sed neque illi ad illos transire pos-
6,10-11   sunt m. Hos ergo tantos, id est *animas occisorum, exspectare
uindictam sanguinis,* id est corporis sui, *de habitantibus
20   super terram* uoluit nos cognoscere qui omnia uidet. Sed
quoniam in nouissimo tempore et sanctorum remuneratio
perpetua et impiorum uentura est damnatio, dictum est eis
6,11   *exspectare* ; et pro corporis sui solatio *acceperunt,* inquit,
stolas albas, id est donum Spiritus Sancti.

6,12   **5.** <Sextum sigillum : *factus est terrae motus magnus* :
ipsa est nouissima persecutio. *Sol fit ut saccus* : incredulis
obscurabitur splendor doctrinae. *Luna sanguinea* : ecclesia
sanctorum ostenditur pro Christo sanguinem fundere.
6,13 5   *Stellas cadere* : fideles turbari. *Agitata ficus amittit grossos* :
6,14   persecutione homines ab ecclesia separari. *Caelum inuolui* :
ecclesia de medio fit. *Et mons et insulae de locis suis motae* :
nouissima persecutione omnes recessisse de suis locis : id est
boni mouebuntur persecutionem fugientes.

j. Matth. 5, 23-24 ‖ k. cf. Hébr. 9, 7 (Ex. 30, 10) ‖ l. cf. Hébr. 9, 8 ‖
m. cf. Lc 16, 26

"Quand tu apporteras ton offrande à l'autel — nos offrandes sont à l'évidence les prières que nous devons accomplir —, et que là tu te souviennes que ton frère a quelque chose contre toi, laisse-là ton offrande ʲ." Les prières montent au ciel, c'est clair. Dans l'autel d'or situé à l'intérieur, il faut donc voir le ciel — car le prêtre, celui qui avait la fonction de l'oint, entrait dans le temple jusqu'à l'autel d'or une seule fois dans l'année ᵏ ; l'Esprit-Saint signifiait par là ce que ferait le Christ, à savoir qu'il a souffert la Passion une fois pour toutes ˡ. Parallèlement, l'autel de bronze s'entend de la terre, sous laquelle se trouvent l'enfer ainsi que le lieu du repos des saints, contrée située à l'écart de l'endroit du châtiment et du feu : là les justes sont vus et entendus par les impies, mais sans pouvoir passer vers eux ᵐ. Tous ceux-là, c'est-à-dire « les âmes de ceux qui ont été égorgés », « attendent que de leur sang », c'est-à-dire de leur corps, « vengeance soit faite sur les habitants de la terre » : celui qui voit tout a voulu que nous le sachions. Mais parce que c'est dans les derniers temps que viendra tant la rétribution perpétuelle des saints que la condamnation des impies, il est dit qu'ils « attendent ». Et, en guise de compensation pour leur corps, « ils reçurent, dit le texte, des vêtements blancs », c'est-à-dire le don de l'Esprit-Saint.

5. Sixième sceau : « Il se fit un grand tremblement de terre » ; c'est l'ultime persécution. « Le soleil devient comme de la toile de sac » : la splendeur de la doctrine sera enténébrée aux yeux des incroyants. « La lune ensanglantée » désigne l'Église des saints qui répand son sang pour le Christ. « Les étoiles tombent » : les fidèles sont troublés. « Le figuier secoué laisse tomber des figues avortées » : à cause de la persécution, des hommes quittent l'Église. « Le ciel est roulé » : l'Église se retire. « Bouleversées, montagnes et îles ont changé de lieu » : lors de l'ultime persécution, tous quittent le lieu où ils se trouvent, c'est-à-dire que les bons seront bouleversés et fuiront la persécution.

6,10-11

6,11

6,12

6,13

6,14

7,1   **6. Quattuor angelos per quattuor angulos terrae siue quattuor uentos trans Eufraten flumen** : gentes sunt quattuor, quia omni genti a Deo deputatus est angelus, sicut lex
7,3   dicit : *Statuit eos per numerum angelorum Dei* [n]. Donec
5   sanctorum compleatur numerus, suos non egrediuntur terminos, quia in nouissimo cum Antichristo uenient.

7,9   **7.** Quod autem dicit : **turba multa ex omni tribu,** ex
7,14   omnibus credentibus electorum numerum ostendit, qui **per sanguinem agni** — baptismo purgati — **suas stolas fecerunt candidas,** seruantes gratiam quam acceperunt.

8,1 5 **Septimo aperto sigillo silentium fit in caelo semihora,** initium est quietis aeternae ; sed partem intellexit, quia interrupto silentio eadem per ordinem repetit. Nam si esset iuge silentium, hic finis narrandi fieret>.

7,2   **VII.** **Angelum autem descendentem ab oriente sole** : Heliam prophetam dicit, qui anticipaturus est tempora Antichristi ad restituendas ecclesias et stabiliendas ab intolerabili persecutione. Haec in apertione libri et ueteris testamenti et nouae praedicationis legimus ; ait enim Dominus
5   per Malachiam : *Ecce ego mitto uobis Heliam Thesbiten, conuertere corda patrum ad filios et cor hominis ad proximum suum* [a], id est ad Christum per paenitentiam ; « conuertere corda patrum ad filios » : secundum tempus
10   uocationis Iudeos ad sequentis populi fidem reuocare. Et
7,4-9   ideo ostendit etiam numerum ex Iudeis crediturum et ex gentibus magnam multitudinem.

n. Deut. 32, 8
VII. a. Mal. 4, 5-6

6. « Les quatre anges aux quatre coins de la terre ou les   7,1
quatre vents d'au-delà de l'Euphrate » : ce sont quatre
nations, parce qu'à chaque nation, Dieu a assigné un ange,
ainsi qu'il est dit dans la Loi : "Il fixa leur nombre selon le
nombre des anges de Dieu [n]." En attendant que soit au com-   7,3
plet le nombre des saints, ils ne sortent pas des limites qui
leur sont imparties, parce que c'est à la fin qu'ils doivent
venir avec l'Antéchrist.

7. Quand le texte parle d'« une foule nombreuse de toute   7,9
tribu », il signifie le nombre des élus parmi tous les
croyants : ceux qui, « purifiés par le sang de l'Agneau » —   7,14
par le baptême — « ont blanchi leur robe », c'est-à-dire ont
conservé la grâce reçue.

« A l'ouverture du septième sceau, il se fait un silence d'une   8,1
demi-heure dans le ciel » : c'est le commencement du repos
éternel ; mais une demi-heure, c'est-à-dire, selon la conception de l'auteur, un repos partiel, parce que le silence est inter-
rompu et qu'on reprend la même succession d'événements.
S'il s'agissait d'un silence durable, le récit s'arrêterait ici.

L'ange de l'Orient et les sept anges à trompettes	**VII.** « Un ange descendant du 7,2

soleil levant » : le texte parle du prophète Élie, qui doit venir avant le
temps de l'Antéchrist, pour restaurer
les Églises et les affermir contre l'intolérable persécution. C'est
ce que nous lisons lors de l'ouverture du livre, de l'Ancien
Testament aussi bien que de la proclamation nouvelle. Car le
Seigneur dit par Malachie : "Voici que je vous envoie Élie le
Thesbite pour tourner les cœurs des pères vers les fils et le
cœur de l'homme vers son prochain [a]", c'est-à-dire vers le
Christ par la pénitence. "Tourner les cœurs des pères vers les
fils" résume la seconde phase de l'appel : amener les juifs à la
foi du peuple venu après eux. C'est pourquoi on nous montre
le nombre de ceux qui, même parmi les juifs, accèderont à la   7,4-9
foi, ainsi que la grande multitude issue des nations.

8,3-13   **VIII, 1.** Mitti autem de caelo orationes ecclesiae ab
angelo et suscipi eas et contra effundi iram et scotomari
regnum Antichristi per angelos sanctos et in euangelio legimus. Ait enim : *Orate ne incidatis in temptationem* [a]. *Erit*
5   *enim angustia magna qualis non fuit ab initio nec ab origine*
mundi, et nisi Dominus breuiasset dies illos, non esset salua
ulla caro super terram [b]. Hos ergo archangelos magnos septem ad percutiendum regnum Antichristi mittet. Nam et
ipse Dominus dixit in euangelio : *Tunc filius hominis mittet*
10   *nuntios suos et colligent electos eius de quattuor uentis a fini-*
bus caeli usque ad fines eius [c]. Et ante ait : tunc *erit pax ter-*
rae, cum surrexerint in ea septem pastores et octo morsus
<hominum> et indagabunt Assur — id est Antichristum —
in fossam Nebroth [d] : in damnationem diaboli. Et
15   Ecclesiastes similiter dixit : *Cum commoti fuerint custodes*
domus [e]. Ipse enim Dominus sic ait : *Cum uenissent ad eum*
operarii et dixerunt ei : Domine, nonne bonum semen semi-
nasti in tuo agro ? Vnde ergo ibi lolium ? Respondit eis :
Inimicus hoc fecit. Qui dixerunt : Vis imus et eradicamus
20   *illud ? Dicit eis : Non, sinite utraque ut crescant usque ad*
messem. Et in tempore, inquit, *dicam messoribus colligere*
lolium et in ignem mitti, triticum autem in horrea recon-
dere [f]. Hos messores et pastores et operarios hic
Apocalypsis archangelos esse ostendit.

8,6-9,21   **2.** *Tuba* autem uerbum est potestatis ; et licet repetat per
16,1-21   *fialas,* non quasi bis factum esse dicat, sed quoniam semel
quod futurum est, a Deo decretum est eis ut fiat, ideo bis
dicitur [g]. Quicquid igitur in *tubis* minus dixit, id in *fialis*

VIII. a. Matth. 26, 41 ‖ b. Matth. 24, 21-22 ‖ c. Matth. 24, 31 ; cf. Mc
13, 27 ‖ d. Mich. 5, 5-6 ‖ e. Eccl. 12, 3 ‖ f. Matth. 13, 27-30 ‖ g. cf. Gen.
41, 32

VIII, 1. Depuis le ciel l'ange offre les prières de l'Église   8,3-13
et elles sont agréées, tandis qu'à l'opposé de saints anges
répandent la colère et frappent de vertige le royaume de
l'Antéchrist : on le lit aussi dans l'Évangile. Il est dit en
effet : "Priez pour ne pas succomber à la tentation [a]. Car il
y aura une grande détresse, comme il n'y en eut pas depuis
le début et l'origine du monde ; et si le Seigneur n'avait
abrégé ces jours-là, aucune chair n'aurait été sauvée sur la
terre [b]". Ce sont ces sept puissants archanges que le Seigneur
enverra pour frapper le royaume de l'Antéchrist. Car le
Seigneur lui-même dit dans l'Évangile : "Alors le Fils de
l'homme dépêchera ses envoyés qui rassembleront ses élus
des quatre vents, d'une extrémité du ciel à l'autre [c]." Il a dit
aussi antérieurement : "La paix règnera sur la terre quand y
surgiront sept bergers et huit hommes mordants, qui tra-
queront Assur", — c'est-à-dire l'Antéchrist — "et le jette-
ront dans la fosse de Nemrod [d]", c'est-à-dire dans la perdition du Diable. L'Écclésiaste dit pareillement : "Lorsque
seront ébranlés les gardiens de la maison [e]." Le Seigneur lui-
même s'exprime ainsi : "Les ouvriers vinrent à lui et lui
dirent : 'Seigneur, n'est-ce pas du bon grain que tu as semé
dans ton champ ? D'où vient donc l'ivraie qui s'y trouve ?'
Il leur répondit : 'Un ennemi a fait cela'. Ils lui dirent :
'Veux-tu que nous allions l'arracher ?' Il leur dit : 'Non !
laissez-les pousser tous deux jusqu'à la moisson, et, au
temps voulu, dit-il, je dirai aux moissonneurs de cueillir
l'ivraie et de la jeter au feu, mais de rentrer le froment dans
les greniers' [f]." Ces moissonneurs, ces pasteurs et ces
ouvriers, l'*Apocalypse* montre ici que ce sont les archanges.

2. La « trompette » est la parole de puissance. Bien que les   8,6-9,21
« coupes » répètent ce qui a été dit dans les trompettes, l'au-   16,1-21
teur ne veut pas dire que ces événements se sont produits
deux fois ; mais parce que, ces événements qui adviendront
une seule fois, il est bien décidé de la part de Dieu qu'ils doivent arriver, ils sont dits deux fois [g]. Ce qui donc a été dit

5 propensius dixit. Nec aspiciendus ordo dictorum, quoniam septiformis Spiritus Sanctus, ubi ad nouissimum temporis finemque percucurrit, redit rursus ad eadem tempora et supplet quae minus dixit. Nec requirendus est ordo in Apocalypsi, sed intellectus requirendus ; est enim et pseu-
10 doprophetia. Sunt igitur scripta quae sunt in *tubis* et in *fia-lis* aut plagarum orbi missarum clades aut ipsius Antichristi insania aut populorum detrectatio aut plagarum differentia aut spes in regno sanctorum aut ruina ciuitatum aut ruina Babylonis, id est ciuitatis Romanae.

8,13   **3. *Aquila uolans medio caelo*** : Spiritus Sanctus significa-tur in duobus prophetis contestans magnam plagarum iram imminere, si quo modo, quamuis sit nouissimum tempus, aliquis adhuc saluus esse possit.

10,1-2   **X, 1.** Namque *angelum fortem* quem dicit *descendisse de caelo, amictum nubem, et iris super caput eius et facies eius tamquam sol et pedes eius tamquam columna ignis, et habentem in manu sua librum apertum, et posuit pedes suos
5 supra mare et terram* Dominum nostrum significat, sicut superius enarrauimus de *facie eius tamquam solis,* id est de resurrectione ; *super caput autem eius iris* iudicium, quod factum est aut futurum est. *Liber* autem *apertus* Apocalypsis est quam accepit Iohannes. *Pedes* eius et superius diximus
10 conflatos esse apostolos. Nam calcari ab eo et *mare et ter-*

plus brièvement à propos des « trompettes » a été développé plus abondamment à propos des « coupes ». Il ne faut pas non plus s'attacher à l'ordre dans lequel les choses sont dites : l'Esprit-Saint septiforme, après avoir passé en revue les événements jusqu'aux derniers temps, jusqu'à la fin, revient à nouveau sur les temps dont il avait parlé et complète ce qu'il avait dit plus brièvement. Il ne faut pas chercher un déroulement chronologique dans *l'Apocalypse,* mais chercher ce qu'elle veut dire ; car il y a risque de verser dans les fausses prophéties. Ainsi, ce qui est écrit à propos des « trompettes » est repris dans les « coupes » et concerne tantôt les désastreux fléaux envoyés au monde, tantôt les actes insensés de l'Antéchrist lui-même, tantôt les blasphèmes des peuples, tantôt le fait que les fléaux ne s'abattent pas indistinctement sur tous les hommes, tantôt l'espoir du règne des saints, tantôt la ruine des cités, tantôt la ruine de Babylone, c'est-à-dire de Rome.

3. « L'aigle volant au milieu du ciel » signifie l'Esprit- Saint proclamant solennellement, dans la personne des deux prophètes, que la grande colère des fléaux de Dieu est toute proche ; c'est pour le cas où quelqu'un pourrait encore être sauvé d'une manière ou d'une autre, bien que ce soit le temps de la fin.   8,13

L'ange et le petit livre   **X, 1.** En effet, « l'ange puissant qui, selon le texte, est descendu du ciel avec une nuée pour vêtement, qui a l'arc-en-ciel au-dessus de la tête, dont le visage est comme le soleil et les pieds comme une colonne de feu, qui tient dans la main un livre ouvert, et qui a posé les pieds sur la mer et la terre », désigne notre Seigneur : nous avons expliqué plus haut que « son visage semblable au soleil » renvoie à la Résurrection. « L'arc-en-ciel au-dessus de sa tête » signifie le jugement déjà accompli ou à venir. Quant au « livre ouvert » que Jean a reçu, c'est l'*Apocalypse.* « Ses pieds », nous l'avons déjà dit plus haut, sont les apôtres affi-   10,1-2

ram, omnia pedibus eius subdita significat. *Angelum* illum
dicit esse, id est nuntium patris omnipotentis ; *uocatur enim*

10,3 *magni consilii nuntius* ᵃ. *Clamasse uoce magna* : uox magna
est caelestis ; omnipotentis Dei uerba hominibus nuntiare,

15 quoniam post clausam paenitentiam spes postea futura non
est.

10,3 **2. Septem tonitrua locuta uoces suas** : Spiritus septiformis
uirtutis per prophetas protestatus omnia futura uoce illius

10,4 in saeculo testimonium reddidit. Sed quia dicit se **scriptu-
rum fuisse,** quanta *tonitrua* locuta fuissent, id est, quae-

5 cumque in ueteri testamento erant obscure praedicata, ueta-
tur scribere, sed relinquere et **signare.** Quia erat apostolus,
non oportebat gratiam sequentis gradus in primo uiro ᵇ col-

1,3;22,10 locari, quia **tempus iam prope est.** Apostoli enim uirtutibus
signis portentis magnalibus factis ᶜ uicerunt incredulitatem.

10 Post illos iam fide confirmatis ecclesiis datum solatium pro-
pheticarum scripturarum interpretandarum ; quos interpretes prophetas dixit. Ait enim apostolus : *Et posuit quidem in ecclesia primum apostolos, secundo prophetas, tertio
doctores* ᵈ et reliqua. Et alio loco ait : *Prophetae duo uel tres*

15 *dicant et ceteri aestiment* ᵉ, et dicit : *Omnis mulier orans aut
prophetans non uelato capite deturpat caput suum* ᶠ. Cum
autem dicat : « Prophetae duo uel tres dicant, ceteri aestiment », non de catholica prophetia dicit inaudita et incognita, sed iam praedicata ; « aestiment » autem utrumne

20 interpretatio cum testimoniis congruat dictionis propheti-
cae. Constat ergo hoc Iohanni non fuisse necessarium super-

X. a. Is. 9, 5 (LXX) ‖ b. cf. I Cor. 12, 28 ‖ c. cf. Act. 2, 22 ; 4, 30 ‖
d. I Cor. 12, 28 ‖ e. I Cor. 14, 29 ‖ f. I Cor. 11, 5

nés au creuset, car le fait qu'il foule aux pieds « la mer et la terre » signifie que tout a été mis à ses pieds. Le texte parle d'un « ange » : il est le messager du Père tout-puissant ; car on l'appelle "messager du grand conseil ᵃ". « Il cria d'une   10,3
voix forte » : la voix forte est une voix céleste ; crier d'une voix forte, c'est annoncer aux hommes les paroles du Dieu tout-puissant déclarant qu'une fois clos le temps du repentir, il n'y aura plus d'espoir.

2. « Les sept tonnerres firent entendre leur voix » : c'est   10,3
l'Esprit à la septuple puissance qui, après avoir annoncé par les prophètes tout ce qui serait, a, par la voix du Christ rendu témoignage dans le monde. Parce que Jean allait, de son propre aveu, « écrire » tout ce qu'avaient dit « les ton-   10,4
nerres », c'est-à-dire tout ce qui dans l'Ancien Testament avait été obscurément annoncé, il reçoit l'ordre de n'en rien faire, de le laisser et de le « sceller ». Du fait qu'il était apôtre, il ne fallait pas que le charisme du second degré fût conféré à l'homme du premier degré ᵇ, car « le temps désor-   1,3;22,10
mais est proche ». Les apôtres en effet ont vaincu l'in-croyance par des miracles, des signes, des prodiges et des hauts faits ᶜ. Après eux, les Églises déjà affermies dans la foi reçurent le réconfort de l'exégèse des écrits prophétiques. Les exégètes, l'Apôtre les a appelés prophètes, car il dit : "Le Christ a établi dans l'Église premièrement les apôtres, deuxièmement les prophètes, troisièmement les docteurs ᵈ" et ainsi de suite. Ailleurs encore il dit : "Que deux ou trois prophètes parlent, et que les autres discernent ᵉ" ; et aussi : "Toute femme qui prie ou prophétise sans voile sur sa tête fait affront à sa Tête ᶠ." Quand il dit : "Que deux ou trois prophètes parlent, et que les autres discernent", ce n'est pas là allusion à une prophétie orthodoxe inouïe et inédite, mais à la prophétie déjà proclamée. "Que les autres discernent" si l'exégèse est conforme aux témoignages qu'on a dans les dits des prophètes. Il est donc clair que Jean, armé d'une puissance supérieure, n'avait pas besoin de cela, tandis que l'Église, qui

iori uirtute armato, cum corpus Christi sit ecclesia suis
membris ornatum et suo loco respondere debeat [g].

10,10   **3. Accipere** autem **libellum et comedere eum** ostensio-
nem sibi factam memoriae est mandare. **Dulce esse in ore**
praedicationis est fructus loquenti et audientibus dulcissi-
mus, sed praedicanti et perseuerantibus in mandatis per pas-
10,11 5 siones **amarissimus. Oportet,** inquit, **iterum praedicare,** id
est prophetare, **in populis, linguis et nationibus** : hoc est,
quoniam, quando hoc uidit Iohannes, erat in insula
Pathmos, in metallo damnatus a Caesare Domitiano. Ibi
ergo uidetur Iohannes Apocalypsim conscripsisse ; et cum
    10 iam seniorem se putasset post passionem recipi posse, inter-
fecto Domitiano omnia iudicia eius soluta sunt et Iohannes
de metallo dimissus est, et sic postea tradidit hanc eamdem
Apocalypsim quam a Domino acceperat. Hoc est : *Iterum*
prophetare oportet.

11,1   **XI, 1. Accepisse** autem **illum arundinem similem uirgae,**
ut metiret templum Dei et aram et adorantes in ea, potestatem dicit, quam dimissus postea exhibuit ecclesiis. Nam et
euangelium postea conscripsit. Cum essent enim Valentinus
    5 et Cerinthus et Ebion et cetera scola <Satanae> sparsa per
orbem, conuenerunt ad illum de finitimis ciuitatibus episcopi et compulerunt eum, ut ipse testimonium conscribe-
ret in Dominum. *Mensura* autem fidei est mandatum
Domini nostri, Patrem confiteri omnipotentem, ut didici-
    10 mus, et huius Filium Dominum nostrum Iesum Christum :
ante originem saeculi spiritaliter apud Patrem [a] genitum, factum hominem et morte deuicta in caelis cum corpore a Patre
receptum <effudisse Spiritum> Sanctum [b], donum et pignus

---

g. cf. I Cor. 14, 35
XI. a. cf. Sag. 9, 9 ; Prov. 8, 30 ; Jn 1, 1 ‖ b. cf. Act. 2, 33

est le corps du Christ avec la parure de ses membres, doit parler à son rang [g].

3. « Recevoir le petit livre et le dévorer », c'est confier à 10,10 la mémoire la vision qui lui a été montrée. Celui-ci est « doux à la bouche » : le fruit de la prédication est très doux pour celui qui parle et pour ceux qui écoutent, mais aussi « très amer », à cause des tribulations, pour celui qui enseigne et pour ceux qui persévèrent dans l'observance des commandements. « Il te faut, dit le texte, prêcher de nou- 10,11 veau », c'est-à-dire prophétiser, « parmi des peuples, langues et nations. » Cela veut dire ceci : lorsque Jean a eu cette vision, il était dans l'île de Patmos où il avait été condamné aux carrières par Domitien César. C'est visiblement là qu'il a écrit l'*Apocalypse ;* et quand, devenu fort âgé, il pensait pouvoir être admis auprès du Seigneur après la tribulation, Domitien fut assassiné, tous ses décrets furent cassés, et Jean fut libéré des carrières. Ainsi, il livra par la suite au public cette même *Apocalypse* qu'il avait reçue du Seigneur ; c'est cela que veut dire : « Il te faut prophétiser à nouveau. »

XI, 1. « Il reçut un roseau semblable à une baguette pour 11,1 mesurer le temple de Dieu, l'autel et ceux qui y adorent. » Le texte parle ici de l'autorité qui fut ensuite celle de Jean dans les Églises après qu'il eut été libéré. Car il écrivit par la suite son Évangile. En effet, comme Valentin, Cérinthe, Ébion et autres sectes sataniques s'étaient répandues dans le monde, les évêques des cités voisines vinrent ensemble trou- ver Jean et firent pression sur lui pour qu'il écrivît son témoignage personnel sur le Seigneur. La « mesure » de foi, c'est le commandement de notre Seigneur : confesser le Père tout-puissant, comme on nous l'a appris, et son Fils, le Christ notre Seigneur : lui qui est né spirituellement du Père avant l'origine du monde [a] et s'est fait homme ; qui fut, après sa victoire sur la mort, élevé aux cieux avec son corps, et a répandu l'Esprit-Saint qu'il a reçu du Père [b], don et gage

immortalitatis [c]. Hunc per prophetas praedicatum, hunc per
15 legem conscriptum, hunc manum Dei et Verbum Patris
omnipotentis et conditorem orbis totius mundi. Haec est
arundo et *mensura* fidei, ut nemo *adoret* ad *aram* sanctam,
nisi qui haec confitetur : *Dominum et Christum eius* [d].

11,2   **2. Aulam autem interiorem eice foras.** Aula atrium dicitur, uacua inter parietes area. Hos tales non necessarios eici
iussit de ecclesia. ***Quia data est,*** inquit, ***calcari <a> gentibus,*** id est huiusmodi homines aut a gentibus aut cum gen-
5 tibus conculcari. Deinde repetit de nouissimi temporis ruina
11,2-3 et excidio et ait : ***Et ciuitatem sanctam calcabunt mensibus
quadraginta duobus. Et dabo duobus testibus meis et prae-
dicabunt amicti cilicio diebus mille CCLX,*** id est triennio
et mensibus sex ; dies mille CC<LX faciunt menses> XLII.
10 Est igitur illorum praedicatio triennio et mensibus sex et
11,5 regnum Antichristi alterum tantum. ***De ore autem illorum
prophetarum exire ignem contra aduersarios*** : potestatem
uerbi dicit. Omnes plagae, quae futurae sunt ab angelis illorum in uoce mittentur.

3. Multi putant cum Helia esse Heliseum aut Moysen,
sed utrique mortui sunt. Hieremiae autem mors non inuenitur. Per omnia ueteres nostri tradiderunt illum esse
Hieremiam ; nam et ipsum uerbum, quod factum est ad
5 illum, testificatur dicens : *Priusquam te figurarem in utero
matris tuae, noui te, et priusquam de uulua procederes sanc-
tificaui te, et prophetam in gentibus posui te* [e]. In gentibus
autem propheta non fuit, et ideo utroque diuino, quod pro-

d'immortalité ᶜ ; il est celui qu'ont annoncé les prophètes, lui
dont la Loi a écrit ; il est la main de Dieu, le Verbe du Père
tout-puissant et le Créateur de l'univers entier. Voilà « le
roseau » et « la mesure » de la foi : personne ne peut « adorer » à « l'autel » sacré à moins de confesser "le Seigneur et
son Christ ᵈ".

Les deux témoins   2. « Quant à la cour intérieure,   11,2
                          rejette-la dehors ». On appelle cour
un portique, c'est-à-dire un espace vide de construction et
clos de murs. Des gens de ce type, l'ange a ordonné de les
rejeter de l'Église parce qu'inutiles. « Parce que, dit le texte,
elle a été donnée aux nations pour être foulée aux pieds » :
cela veut dire que les hommes de cette espèce sont écrasés
par les nations ou avec les nations. Ensuite, il reprend le récit
du désastre et de l'anéantissement des temps derniers et dit :   11,2-3
« Et ils fouleront aux pieds la cité sainte pendant quarante-
deux mois, et je donnerai à mes deux témoins de prêcher,
vêtus d'un cilice, pendant mille deux cent soixante jours »,
c'est-à-dire trois ans et six mois — mille deux cent soixante
jours font quarante deux mois. La prédication des deux
témoins dure donc trois ans et six mois, et le règne de
l'Antéchrist tout autant. « De la bouche de ces prophètes   11,5
sort un feu contre leurs adversaires » : il exprime le pouvoir
de leur parole, car tous les fléaux que déchaînent les anges
seront envoyés à la parole des deux témoins.

3. Beaucoup pensent qu'Élie est accompagné d'Élisée ou de
Moïse. Mais ils sont morts tous les deux. En revanche, on ne
trouve pas que Jérémie soit mort. Nos anciens nous ont transmis que l'autre prophète est en tous points Jérémie. De fait, la
parole même qui lui fut adressée en témoigne : "Avant de te
former au ventre de ta mère, je t'ai connu, avant que tu ne
sortes de la matrice, je t'ai sanctifié et je t'ai établi prophète
parmi les nations ᵉ." Or, Jérémie ne fut pas prophète parmi les
nations ; les deux paroles étant divines, Dieu doit nécessaire-

misit, necesse habet et exhibere, ut in gentibus sit propheta.
11,4 10 Hos *duo candelabra et duas oliuas* dixit : ideo admonuit ut,
si in alio legens non intellexisti, hic intellegas ; in Zacharia [f]
enim uno ex duodecim prophetis scriptum est.

11,4   4. *Hi sunt duae oliuae et duo candelabra qui in conspectu*
Domini terrae stant, id est in paradiso. Hos ergo oportet
11,6 interfici ab Antichristo post multas plagas saeculo infixas,
11,7 quem dicit *ascendisse bestiam de abysso*. <*De abysso*>
5 autem eum *ascensurum* multa testimonia nobis in hoc capitulo contrahenda sunt. Ait enim Esaias : *Ecce Assur cypres-*
sus in monte Libano. <« Assur », deprimens, « cypressus »
excelsus ramosus, id est populus multus ; « in monte
Libano »> : in regno regnorum ; *formosus in germinibus* [g],
10 id est fortis in exercitibus. *Aqua*, inquit, *nutriuit illum*, id
est multa milia hominum, quae subiecta erunt illi. *Abyssus*
auxit illum [h], id est ructuauit eundem. Nam Ezechiel paene
eisdem uerbis loquitur [i]. Fuisse autem eum in regno regnorum et fuisse inter Caesares et Paulus contestatus est. Ait
15 enim ad Thessalonicenses : *Si modo tenet qui uidetur, donec*
de medio tollatur, et tunc apparebit, cuius est aduentus
secundum efficaciam satanae signis et mendaciis [j]. Et ut sci-
rent illum esse uenturum, qui tunc erat princeps, adiecit :
Arcanum malitiae iam molitur [k], id est, malitiam quam fac-
20 turus est arcane molitur, sed non uirtute sua nec patris <sui>
suscitatur, sed Dei iussu. Quare ergo Paulus dixit : *Idcirco*
quoniam non ceperunt amorem Dei, mittit illis Deus spiri-
tum erroris, ut omnes persuadeantur mendacio, qui non sunt
persuasi a ueritate [l]. Esaias ait : *Sustinentibus illis lucem ortae*
25 *sunt tenebrae* [m].

f. cf. Zach. 4, 11-14 ǁ g. Éz. 31, 3 ǁ h. Éz. 31, 4 ǁ i. cf. Is. 8, 7 ǁ
j. II Thess. 2, 7-9 ǁ k. II Thess. 2, 7 ǁ l. II Thess. 2, 10-11 ǁ m. Is. 59, 9

ment tenir aussi la promesse de l'établir prophète parmi les
nations. Les deux prophètes, dit-il, sont « les deux chandeliers   11,4
et les deux oliviers » : il t'engage ici à comprendre ce que peut-
être tu n'as pas compris quand tu l'as lu dans un autre passage ;
c'est en effet écrit en *Zacharie* [f], l'un des douze prophètes.

4. « Ils sont les deux oliviers et les deux chandeliers qui se   11,4
tiennent devant le Seigneur de la terre », c'est-à-dire dans le
paradis. C'est donc eux qui, après avoir frappé notre monde de   11,6
nombreux fléaux, doivent être mis à mort par l'Antéchrist, que
Jean dit être « la bête montée de l'abîme. » A propos de ce ver-   11,7
set, il nous faudrait rassembler plusieurs témoignages de
l'Ancien Testament, qui disent qu'il doit « monter de l'abîme. »
Isaïe dit en effet : "Voici Assur, cyprès sur la montagne du
Liban" ; "Assur" : celui qui opprime ; "cyprès haut et feuillu" :
c'est un peuple nombreux ; "sur la montagne du Liban" : dans
le royaume dominant les royaumes ; "beau en ses rejetons [g]" :
fort en ses armées. "L'eau, dit-il, l'a nourri" : c'est-à-dire les
nombreux milliers d'hommes qui lui seront soumis. "L'abîme
l'a fait croître [h]", c'est-à-dire l'a vomi. De fait, Ézéchiel s'exprime en termes presque identiques [i]. Que l'Antéchrist ait été
dans le royaume dominant les royaumes et qu'il ait été du
nombre des Césars est également attesté par Paul. Il dit en effet
aux Thessaloniciens : "Si maintenant retient celui qu'on voit
retenir, jusqu'à ce qu'il soit écarté, alors apparaîtra celui dont
l'avènement a lieu selon la puissance de Satan avec des signes et
des mensonges [j]." Et pour qu'ils sachent que celui qui doit venir
est celui qui était alors empereur, Paul a ajouté : "Déjà il met
en œuvre le mystère du mal [k]", ce qui signifie : le mal qu'il va
faire, il le met en œuvre mystérieusement ; cependant, il ne sur-
git pas en vertu de sa propre force ou de celle de son père, mais
sur l'ordre de Dieu. Pour cette raison, Paul a dit : "Du fait qu'ils
n'ont pas accueilli l'amour de Dieu, Dieu leur envoie un esprit
d'erreur, pour que tous ceux que la vérité n'a pas persuadés
soient convaincus par le mensonge [l]." Isaïe le dit : "Ils espéraient
la lumière, et ce sont les ténèbres qui se sont levées [m]."

11,7.11   **5.** Hos ergo prophetas ab eodem interfici manifestat
Apocalypsis et quarta die resurgere, ne quis aequalis Deo
11,8   inueniatur. *Sodomam* autem *et Aegyptum* dici Hierosoly-
mam actus populi persecutoris effecit. Diligenter ergo et
5   cum summa sollicitudine sequi oportet propheticam praedicationem et intellegere, quoniam Spiritus Sanctus sparse
praedicat et praeposterat et percurrit usque ad nouissimum
tempus, rursus tempora superiora repetit, et quoniam quod
facturus est semel, aliquoties quasi factum esse ostendit —
10   quod nisi intellegas aliquoties dictum, non aliquoties futurum, in grandem caliginem incidis —, ergo interpretatio
sequentium dictorum in eo constabit, ut non ordo lectionis
sed rationis intellegatur.

11,19   **6.** *Apertum esse templum Dei quod est in caelo* : apparitio Domini nostri est. *Templum Dei* Filius ipsius est, sicut
ipse ait : *Soluite templum hoc et in tribus diebus suscitabo
illud* ; et dicentibus Iudaeis : *Quadraginta sex annis aedifi-
5   catum est,* ait euangelista : *Ille de templo corporis dicebat* [n].
Arca testamenti, euangelii praedicatio et indulgentia delictorum et omnia quaecumque <cum> illo aduenerunt, illud
dicit apparuisse.

12,1-2   **XII, 1.** *Mulier autem amicta sole et luna sub pedibus,
habens coronam stellarum duodecim, parturiens in dolori-
bus suis* : ecclesia est antiqua patrum et prophetarum et
sanctorum apostolorum, quia gemitus et tormenta desiderii
5   sui habuit, usque quo factum est ex plebe sua secundum carnem suam olim promissum <sibi uidere Christum ex ipsa

n. Jn 2, 19-21

5. L'*Apocalypse* révèle donc que ces deux prophètes sont mis à mort par l'Antéchrist, et ressuscitent, le quatrième jour, afin que nul ne soit trouvé égal à Dieu. « Sodome et Égypte » : c'est le nom que reçoit Jérusalem, à cause de l'action du peuple persécuteur. Ainsi, il faut suivre attentivement et avec le plus grand soin le texte prophétique, et comprendre que l'Esprit-Saint procède par petites touches dans ses propos ; il bouleverse l'ordre des événements, les parcourt jusqu'aux derniers temps pour répéter ensuite les temps qui ont précédé ; il montre un événement qui n'arrivera qu'une fois comme s'étant réalisé plusieurs fois ; à moins de comprendre qu'une annonce plurielle de l'événement ne veut pas dire qu'il se réalisera plusieurs fois, on tombe dans une grande obscurité. Ainsi donc, interpréter la séquence des événements dont parle l'*Apocalypse* consistera à comprendre moins leur déroulement chronologique que la logique de l'exposé.

6. « Le temple de Dieu qui est dans le ciel s'ouvrit » : c'est la manifestation de notre Seigneur. Car « le temple de Dieu » est son Fils, ainsi qu'il le dit lui-même : "Détruisez ce temple, et en trois jours, je le relèverai." Et comme les juifs rétorquaient : "Il a fallu quarante-six ans pour construire ce temple", l'évangéliste dit : "Il parlait du temple de son corps [n]". « L'arche d'alliance », c'est la prédication de l'Évangile, la rémission des péchés et tout ce qui nous est advenu avec le Christ. C'est cela dont le texte mentionne l'apparition.

La vision de la femme et du dragon

XII, 1. « Une femme revêtue du soleil, et la lune sous ses pieds, avec une couronne de douze étoiles, dans les douleurs de l'enfantement. » C'est l'antique Église, celle des patriarches, des prophètes et des saints apôtres, parce qu'elle a connu les gémissements et les tourments du désir, jusqu'à ce que la promesse qui lui

(marginal references: 11,7.11 · 11,8 · 11,19 · 12,1-2)

gente corpus sumpsi>sse. *Sole* autem *amicta,* spem resur-
rectionis significat et gloriae repromissionem. *Luna* uero,
casus sanctorum corporum ex debito mortis, quod deficere
10   numquam potest. Nam quemadmodum minuitur uita hominibus, sic et augebitur, nec in toto exstincta est spes dor-
mientium, ut quidam putant, sed habebunt in tenebris lucem
sicut lunam. *Stellarum duodecim coronam* <chorum>
patrum significat secundum carnis natiuitatem, ex quibus
15   erat Christus carnem sumpturus.

12,3-4   **2. Draco autem rufus stans exspectans, ut cum peperisset
mulier filium, deuoraret eum** : diabolus est, angelus refuga
scilicet, qui omnium hominum interitum per mortem aequa-
lem posse esse opinabatur. Sed ille qui non de semine natus
5   erat, nihil morti debebat ; propter quod nec *deuorare eum*
potuit, id est in morte detinere. Etenim <in tertia die resurrexit. Denique et priusquam pateretur> eum temptare acces-
serat tamquam hominem ; sed cum inuenisset non illum esse
quem putabat, *discessit ab eo,* inquit, *usque ad tempus* [a].

12,5   **3.** Hunc dicit **raptum esse ad solium Dei.** Id nos legimus
in Actis apostolorum, quemadmodum loquens cum disci-
pulis raptus est in caelis [b]. **Acturum** autem eumdem **omnes
gentes in uirga ferrea** : <*uirga ferrea*> gladius est ; *omnes*
5   enim *gentes* quae certant sub machina Antichristi contra
sanctos staturae sunt : gladio, ait, utrumque casurum.

12,3   Quod autem coloris dixit esse *rufi,* id est coccinei, operis
eius fructus talem dedit illi colorem ; *ab initio* enim *fuit*

XII. a. Lc 4, 13 ‖ b. cf. Lc 24, 51 ; Act. 1, 9

fut faite autrefois, voir le Christ s'incarner de ce même peuple selon la chair, se soit réalisée. « Revêtue du soleil » : cela désigne l'espérance de la résurrection et la promesse de la gloire. « La lune », quant à elle, évoque les phases des corps des saints, à cause la redevance due à la mort, qui reste toujours exigible, car la lune ne peut jamais disparaître. La vie croîtra pour les hommes tout comme elle diminue, et l'espérance de ceux qui se sont endormis n'est pas totalement éteinte, comme le pensent certains, mais ils auront la lumière dans les ténèbres, ce que représente la lune. « La couronne de douze étoiles » désigne le chœur des patriarches, dont le Christ allait prendre chair en vue de la naissance selon la chair.

2. « Le dragon rouge-feu se tenant en attente pour dévorer le fils de la femme quand elle l'aurait mis au monde » est le diable, c'est-à-dire l'ange apostat qui s'imaginait que tous les hommes pouvaient périr de la même façon par la mort. Mais celui qui n'était pas né de semence d'homme n'était nullement en dette envers la mort ; c'est pourquoi il ne le put « dévorer », c'est-à-dire l'assujettir à la mort : de fait, il est ressuscité le troisième jour. Donc, avant la Passion déjà, il s'était approché de lui pour le tenter comme un homme, mais, quand il eut découvert qu'il n'était pas celui qu'il croyait, "il s'éloigna de lui, est-il dit, jusqu'au temps fixé [a]".   *12,3-4*

3. De l'enfant, le texte dit qu'« il fut ravi jusqu'au trône de Dieu ». Nous lisons cela dans les *Actes des apôtres,* qui relatent comment Jésus fut ravi au ciel tandis qu'il parlait à ses disciples [b]. « C'est lui qui doit mener toutes les nations avec un sceptre de fer » : le « sceptre de fer » est l'épée. Car « toutes les nations » combattant en alliées des machinations de l'Antéchrist se dresseront contre les saints. Elles et lui, est-il dit, tomberont sous l'épée.   *12,5*

Quant au fait qu'il est dit de couleur « rouge », c'est-à-dire écarlate, pareille couleur lui vient du fruit de ses   *12,3*

homicida [c] et omne genus humanum non tantum debito
10 mortis quantum per uarias clades ubique oppressit.

    Septem capita, septem reges Romanos, ex quibus et
Antichristus in priore, dicemus. ***Cornua decem,*** decem reges
in nouissimo tempore ; hos eosdem plenius ibi tractabimus.

12,6-14   **4.** ***Mulierem autem uolasse in deserto auxilio alarum***
magnae aquilae — duum scilicet prophetarum — ecclesiam
omnem catholicam, in qua in nouissimo tempore creditura
7,4;14,1 sunt centum quadraginta quattuor milia sub Helia propheta.
5 Ceterum populum binum inueniet ibi in aduentum Domini
nostri Iesu Christi ; ipse quoque Dominus Christus in euangelio ait : *Tunc qui in Iudea sunt fugiant in montibus* [d], id
12,14 est, quotquot in Iudea collecti fuerint, eant in illum *locum*
quem *paratum habent ut nutriantur ibi triennio et mensi-*
10 *bus sex a facie diaboli. Alae aquilae magnae* : duo sunt prophetae, Helias et qui cum illo erit propheta.

12,15-16   **5.** ***Aqua autem quam misit de ore suo serpens*** : iussu suo
exercitum sequi eum significat. ***Aperuisse autem terram <os***
suum> et deuorasse aquam : uindictam de persecutoribus
manifestat. Hanc igitur licet parturientem significet et pos-
5 tea partu edito fugientem ostendat, non uno tempore haec
contigerunt. Christus enim quod natus sit, scimus tempora
12,14 intercessisse ; ut illa autem fugiat *a facie serpentis*, adhuc
factum non esse.

12,7-9   **6.** Deinde ait : ***Factum est in caelo bellum : Michael et***
nuntii eius pugnauerunt cum dracone et draco pugnauit et
nuntii eius, et non est inuentus ei locus in caelo. Et iactatus
est draco magnus, anguis antiquus, cecidit in terram. Hoc
5 est initium aduentus Antichristi. Ante tamen oportet prae-

c. Jn 8, 44 ‖ d. Matth. 24, 16

œuvres. Car "il fut homicide dès l'origine ᶜ", et opprima en tout lieu l'humanité, moins encore par la redevance due à la mort que par des malheurs variés.

« Les sept têtes » : ce sont sept empereurs romains, au nombre desquels est en premier lieu l'Antéchrist, ainsi que nous le dirons. « Les dix cornes » sont les dix rois des temps derniers ; de ceux-là aussi nous traiterons plus amplement au même endroit.

4. « La femme s'envola au désert à l'aide des ailes du grand aigle », c'est-à-dire grâce aux deux prophètes. C'est toute l'Église catholique, avec en elle les cent quarante quatre mille qui aux temps derniers viendront à la foi lors de la venue d'Élie. Au reste, qu'il doive trouver là le reste du peuple double, dans l'attente de la venue de notre Seigneur Jésus-Christ, le Seigneur Christ l'a dit lui aussi dans l'Évangile : "Qu'alors ceux qui sont en Judée fuient dans les montagnes ᵈ", c'est-à-dire, que tous ceux qui auront été ralliés en Judée s'en aillent en ce « lieu, qui leur est préparé pour qu'ils y soient nourris trois ans et six mois loin de la face du diable. » « Les ailes du grand aigle » sont les deux prophètes, Élie et l'autre prophète qui sera avec lui. *(12,6-14 | 7,4;14,1 | 12,14)*

5. « L'eau que le serpent a crachée de sa bouche » signifie qu'à son ordre une armée le suit. Que « la terre ait ouvert la bouche et englouti l'eau » manifeste la vengeance qui sera tirée des persécuteurs. Bien que la même vision présente la femme en train d'accoucher et la montre ensuite s'enfuyant après l'enfantement, tous ces événements ne sont pas arrivés à la même époque. Que le Christ soit né, nous savons que du temps a passé depuis ; mais la fuite de la femme « loin de la face du dragon » n'est pas encore accomplie. *(12,15-16 | 12,14)*

6. Le texte dit ensuite : « Il se fit un combat dans le ciel ; Michel et ses anges combattirent le dragon, et le dragon combattit, lui et ses anges ; et il perdit sa place dans le ciel. Et il fut précipité, le grand dragon, l'antique serpent, il tomba sur la terre. » Tel est le début de l'avènement de *(12,7-9)*

dicare Heliam et pacifica tempora esse, et sic postea
12,14 consummato *triennio et mensibus sex* praedicationis Heliae
iactari eum de caelo ubi habuit potestatem ascendendi
usque ad illud tempus, et angelos refugas uniuersos. Sic
10 Antichristum de inferno suscitari, hoc et Paulus apostolus
ait : *Nisi prius uenerit homo peccati, filius perditionis, aduer-*
sarius, qui se eleuabit super omne quod nominatur Deus aut
colitur ᵉ.

12,3   **7.** Quod autem dicit *draconis caudam traxisse tertiam*
partem stellarum, bifarie hoc accipitur. Multi autem hoc
arbitrantur, *tertiam partem* hominum credentium posse
eum seducere ; sed, quod uerius intellegi debet, angelorum
5 sibi subditorum, cum adhuc princeps esset, cum descenderet a constitutione ᶠ. Ergo, <quod> superius dicebamus, ait
12,18 Apocalypsis : *Stetit super arenam maris.*

13,1-2   **XIII, 1.** *Et uidi de mari ascendentem bestiam similem*
pardo : regnum illius temporis regnum Antichristi cum
uarietate gentium et populorum commixtum significat.
Pedes eius tamquam pedes ursi, fortis et spurcissimae bes-
5 tiae ; duces autem eius *pedes eius* dixit. *Os autem eius tam-*
quam ora leonum, id est ad sanguinem a dentibus armatum.
Os enim iussio illius est et lingua eius, quae ad nihil aliud
processura est nisi ad sanguinem effundendum.

17,9-11   **2.** *Capita septem septem montes, super quos mulier sedet,*
id est ciuitas Romana. *Et reges septem sunt : quinque ceci-*
derunt, unus est, et alius nondum uenit ; et cum uenerit,
breui tempore erit. Et bestia quam uidisti de septem est et
5 *octaua est.* Intellegi igitur oportet <tempus>, quo scribitur
Apocalypsis, quoniam tunc erat Caesar Domitianus. Ante
illum autem fuerat Titus frater ipsius et Vespasianus pater

---

e. II Thess. 2, 3-4 ‖ f. cf. Jude 6

l'Antéchrist. Auparavant pourtant doivent avoir lieu la prédication d'Élie et des temps paisibles ; ensuite, une fois consommés « les trois ans et six mois » de la prédication d'Élie, le dragon est « précipité » du haut du ciel, où il a reçu le pouvoir de monter jusqu'à cette époque, et tous les anges apostats avec lui. C'est ainsi que l'Antéchrist est tiré des enfers, comme le dit Paul : "Il faut d'abord que vienne l'homme de péché, le fils de perdition, l'adversaire, qui s'élèvera au-dessus de tout ce qu'on nomme Dieu ou qu'on adore ᵉ." 12,14

7. Quant à ces paroles : « La queue du dragon entraîna le 12,3 tiers des étoiles », cela se comprend de deux manières. Nombreux sont eux qui pensent que le dragon a pouvoir de séduire « le tiers » des croyants. Mais on doit comprendre, plus justement, qu'il s'agit du tiers des anges, qui lui étaient soumis alors qu'il était prince, et qu'il a séduits quand il fut déchu de son rang ᶠ. Donc, pour en revenir à ce que nous disions plus haut, l'*Apocalypse* poursuit : « Et il se tint sur 12,18 le sable de la mer. »

| La vision de la bête et de la prostituée | **XIII, 1.** « Je vis monter de la mer une bête qui ressemblait à un léopard » | 13,1-2 |

: ces mots désignent le règne de ce temps-là, le règne de l'Antéchrist, où sont mêlés nations et peuples de toutes sortes. « Ses pattes sont comme les pattes de l'ours », bête puissante et immonde. Par les « pattes » de la bête, le texte a voulu désigner les chefs de ce royaume. « Sa gueule est comme la gueule des lions », c'est-à-dire que ses dents l'arment pour le carnage. Les ordres de l'Antéchrist sont figurés par la « gueule » de la bête et par sa langue, qui ne sortira que pour répandre le sang.

2. « Les sept têtes sont sept collines sur lesquelles la 17,9-11 femme » — c'est-à-dire la cité de Rome — « est assise ». Ainsi, il faut comprendre l'époque où est écrite l'*Apocalypse,* et savoir qu'alors Domitien était César. Or, avant lui, il y avait eu Titus, son frère, et Vespasien, leur père, Othon,

ipsorum, Otho, Vitellius et Galba. Hi sunt *quinque qui ceci-*
derunt ; *unus est,* ait, sub quo scripta Apocalypsis dicitur,

10 scilicet Domitianus. *Alius nondum uenit* : Neruam dicit. Qui
cum uenerit, breui tempore erit : biennium enim non
impleuit. *Et bestia quam uidisti, inquit, de septem est* : quoniam ante istos reges Nero regnauit. *Et octaua est,* ait, modo
illa cum aduenerit computans loco octauo. Et quoniam in

17,12 15 illo fiet consummatio, adiecit : *Et in interitum uadit.* Nam
decem reges accepisse regalem potestatem : cum ille moue-
rit ab Oriente, mittentur ab urbe Romana cum exercitibus

13,1 suis. Haec *cornua decem* dicit et *X decem zademata.* Et
Danihel ostendit : *Tria eradicabuntur de prioribus* [a], hoc est,

20 tres duces primarios ab Antichristo interfici. Ceteros septem
17,13 dare illi *gloriam et honorem et solium et potestatem,* de qui-
17,16 bus ait : *Hi odient meretricem* — urbem scilicet dicit —, *et*
carnes eius comburentur igni.

13,3 **3.** *Vnum autem de capitibus occisum in mortem et plaga*
mortis eius curata est : Neronem dicit. Constat enim, cum
eumdem insequeretur equitatus missus a senatu, ipsum sibi
gulam succidisse. Hunc ergo Deus suscitatum mittere regem

5 dignum dignis, Iudeis et persecutoribus Christi <et
Christum> talem qualem meruerunt persecutores et Iudei.
Et quoniam alium nomen allaturus est, aliam etiam uitam
institurus est, ut sic eumdem tamquam Christum excipiant.
Ait enim Danihel : *Desiderium mulierum non cognoscet* —

10 cum sit ipse spurcissimus — *et nullum deum patrum suo-*
rum cognoscet [b]. Non enim poterit seducere populum cir-
cumcisionis, nisi legis sit uindictor. Denique sanctos non ad
aliud compellet nisi ad circumcisionem accipiendam, si quos

XIII. a. Dan. 7, 8 ‖ b. Dan. 7, 8

Vitellius et Galba. Ce sont là « les cinq qui sont morts ».
« Un est là », l'empereur sous lequel, à ce qu'on dit, fut
écrite *l'Apocalypse*, c'est-à-dire Domitien. « Un autre n'est
pas encore venu » : il parle de Nerva ; « Quand il viendra,
ce sera pour peu de temps » : il n'a en effet pas eu deux ans
pleins de règne. « Et la bête que tu as vue, dit le texte, est
en dehors du nombre des sept », puisque Néron a régné
avant ces sept rois. « Et elle est la huitième », dit l'auteur,
qui le compte au huitième rang puisqu'il doit venir bientôt.
Et parce que c'est avec lui que se fera la consommation, il a
ajouté : « Et elle va à la perdition. » Car « dix rois ont reçu   17,12
le pouvoir royal. » Quand Néron s'ébranlera depuis
l'Orient, Rome les enverra contre lui avec leurs armées. Ce
sont eux que Jean appelle « les dix cornes » et « les dix dia-   13,1
dèmes. » Daniel aussi le montre : "Parmi les premiers, trois
seront déracinés ᵃ", c'est-à-dire que trois chefs de premier
plan seront mis à mort par l'Antéchrist. Les sept autres lui
rendent « gloire, honneur, royauté et puissance. » A leur   17,13
sujet, le texte dit : « Ils prendront la prostituée en haine » —   17,16
c'est de la ville qu'il parle — « et on brûlera ses chairs au
feu. »

3. « Une de ses têtes a été blessée à mort, et sa plaie mor-   13,3
telle a été guérie » : il parle de Néron. C'est un fait connu
qu'il s'est lui-même tranché la gorge alors qu'il était pour-
suivi par la cavalerie envoyée par le Sénat. C'est lui donc que
Dieu, après l'avoir ressuscité, envoie comme digne roi de
ceux qui en étaient dignes, les juifs et les persécuteurs du
Christ, un Messie tel que l'ont mérité les persécuteurs et les
juifs. Puisqu'il doit se présenter avec un autre nom, il com-
mencera aussi une vie autre, pour qu'on le prenne pour le
Christ. Daniel dit en effet : "Il ne connaîtra pas le désir des
femmes" — lui qui est immonde ! — "et il ne reconnaîtra
aucun des dieux de ses pères ᵇ". Car il ne pourra tromper le
peuple de la circoncision qu'à condition de se poser en
défenseur de la Loi. Quant aux saints, il ne réussira, s'il peut

poterit seducere. Ita demum fidem faciet sibi, ut ab eis
15 Christus esse appelletur. De inferno autem illum resurgere
et supra diximus uerbis Esaiae : *Aqua,* inquit, *nutriuit illum
et abyssus auxit illum* [c]. Qui tamen licet nomine mutato <et
13,18 actu immutato> ueniat, ait Spiritus Sanctus : ***Numerus illius
est <DCLXVI>*** ; ad literam grecam hunc numerum exple-
20 bit.

13,11   **4. *Aliam bestiam magnam de terra*** : falsum prophetam,
13,12-13 ***qui facturus <est > signa*** et portenta et mendacia ante illum
13,11 ***in conspectu hominum*** ; quem dicit ***habentem cornua quasi
agnum*** — id est speciem quasi iusti hominis —, ***loquentem
5 quasi draconem*** : diaboli malitia plenus. Hic enim *facturus
13,13 est in conspectu hominum,* ut mortui surgere uideantur, <sed
in conspectu hominum. Et ignis de caelo descendet, sed *in
conspectu hominum>* — namque *in conspectu hominum*
haec etiam magi faciunt per angelos refugas —, et hoc etiam
10 faciet ut imago aurea Antichristi in templo Hierosolymis
ponatur et intret ibi angelus refuga ; et deinde uoces et sortes
13,16-17 reddet. ***Faciet etiam ipse, ut serui et liberi accipiant notam
in frontibus aut in manu dextera*** — numerum nominis eius
—, ***ne quis emat uel uendat, nisi qui notam habuerit.*** De
15 hac autem euersione hominum, aspernatione Dei et exsecratione, Danihel ante dixerat : *Et statuet,* inquit, *templum
suum inter montem maris et duo maria* [d], id est
Hierosolymis ; et imaginem auream, sicut fecerat rex
Nabuchodonosor [e], tunc hic statuet. Hoc Dominus recolens
20 ad omnes ecclesias de nouissimis temporibus ait : *Cum uide-
ritis aspernationem euersionis, quod dictum est per Danihel
prophetam, stantem in loco sancto, ubi non licet, qui legit
intellegat* [f]. « Aspernatio » dicitur, quando exasperatur Deus,

c. Éz. 31, 4 ‖ d. Dan. 11, 45 ‖ e. cf. Dan. 3, 1 ‖ f. Matth. 24, 15

les tromper, à les obliger qu'à une chose : recevoir la circoncision. C'est ainsi qu'il inspirera la confiance au point de
se faire appeler par eux Christ (Messie). Qu'il doive se rele-
ver des enfers, nous l'avons déjà dit plus haut conformément
aux paroles d'Isaïe : "L'eau, dit-il, l'a nourri, et l'abîme l'a
fait croître ᶜ." Bien qu'il doive, quand il viendra, changer de
nom sans changer d'activité, l'Esprit-Saint affirme : « Son   13,18
chiffre est six cent soixante-six » ; il accomplira ce chiffre
selon les lettres grecques.

   4. « Une autre bête, énorme, venant de la terre » : c'est le   13,11
faux prophète, qui « fera aux yeux des hommes signes » et   13,12-13
prodiges mensongers devant lui. « Il a, est-il dit, des cornes   13,11
comme un agneau », c'est-à-dire les apparences de la justice,
et « il parle comme un dragon », rempli qu'il est de la malice
du diable. Voilà celui qui fera qu'« aux yeux des hommes »   13,13
des morts paraîtront ressusciter, mais « aux yeux des
hommes » ; et « un feu descendra du ciel », mais « aux yeux
des hommes », — car « aux yeux des hommes », même les
magiciens le font, par l'entremise des anges apostats. Il fera
aussi en sorte qu'on place une statue d'or de l'Antéchrist
dans le temple de Jérusalem et que l'ange apostat y entre ;
après quoi il fera entendre des voix et des oracles. « Il obli-   13,16-17
gera aussi esclaves et hommes libres à recevoir la marque sur
le front ou la main droite » — le chiffre de son nom —
« pour que personne ne puisse acheter ni vendre à moins
d'avoir cette marque. » Cette destruction des hommes, cette
rébellion à Dieu, cette abomination, avaient été prédites par
Daniel : "Il installera son temple entre la montagne et de
la mer et les deux mers ᵈ", c'est-à-dire à Jérusalem, et il y
placera alors sa statue d'or, comme l'avait fait le roi
Nabuchodonosor ᵉ. C'est en se souvenant de ce texte que le
Seigneur dit à toutes les Églises à propos des temps derniers : "Quand vous verrez l'abomination de la destruction
dont parle le prophète Daniel debout dans le saint lieu, là
où c'est interdit — que le lecteur comprenne ᶠ." Il est parlé

quod idola colantur ; « euersio » autem, quod instabiles
25 homines <signis> falsis et portentis euertantur seducti de
salute.

14,6   **XIV, 1.** *Angelum* autem *uolantem medio caelo,* quem
dicit se *uidisse,* et supra tractauimus eumdem esse Heliam,
14,8 qui anticipat regnum Antichristi. *Alium* autem *angelum*
sequentem eumdem comitem praedicationis suae prophetam
17,13 5 significat. Sed quia, ut diximus, composito consilio duces
17,5 illius ciuitatem hanc *magnam Babylonem* sunt expugnaturi,
ruinam illius est testatus.

17,1.6   **2.** Ait enim : *Veni, ostendam tibi damnationem meretri-*
cis, quae sedet super aquas multas. Et uidi, inquit, *mulie-*
rem ebriam de sanctorum sanguine et de sanguine testium
Iesu Christi. Omnes enim passiones sanctorum ex decreto
5 senatus illius semper sunt consummatae, et omne contra
fidei praedicationem iam lata indulgentia ipsa dedit decretum in uniuersis gentibus.

17,3   *Sedere autem mulierem super bestiam roseam,* actricem
homicidiorum, zabuli habet imaginem. Ibi etiam *capita*
10 haec, de quibus meminimus et tractauimus. Hanc quidem
17,5 *Babylonem* propter diffusionem populorum dicit in
Apocalypsi et in Esaia ᵃ ; Ezechiel autem Sor eam nomi-
nauit ᵇ. Denique autem si compares, quae de Sor dicta sunt
et quae de *Babylone* Esaias et Apocalypsis dixit, unum
15 omnia esse inuenies.

14,18   **3.** Quod autem ait : *Mitte falcem acutam et uindemia*
botros uuae, de gentibus perituris in aduentum Domini
dicit ; et quidem pluribus speciebus hic illud ostendit, <sicut

---

XIV. a. cf. Is. 21, 9 ‖ b. cf. Éz. 26-28

d'"abomination" quand on exaspère Dieu par le culte des idoles ; quant au mot "destruction", il veut dire qu'à cause de leur manque de fermeté, des hommes seront renversés par les signes et prodiges mensongers et égarés loin du salut.

Le jugement de la prostituée et la Parousie

XIV, 1. « L'ange » que le voyant dit « avoir vu voler au zénith », nous en avons déjà traité plus haut, en disant qu'il est Élie, précédant le règne de l'Antéchrist ; quant à « l'autre ange qui le suit », il désigne le prophète, son compagnon dans la prédication, dont il a déjà été parlé. Mais parce que, comme nous l'avons dit, les lieutenants de l'Antéchrist vont conclure un accord pour s'emparer de « Babylone, la grande cité », l'ange a annoncé sa chute. 14,6 14,8 17,13 17,5

2. Il est dit en effet : « Viens que je te montre la condamnation de la prostituée assise au bord des eaux nombreuses. Et je vis, dit le texte, une femme ivre du sang des saints et du sang des témoins de Jésus-Christ. » Car toujours les saints ont souffert le martyre en vertu d'un décret du Sénat de la grande cité, et c'est elle qui a promulgué toutes sortes de décrets parmi toutes les nations pour s'opposer à l'annonce de la foi, pourtant déjà objet de bienveillance. 17,1.6

« La femme est assise sur une bête rouge » : la responsable des homicides a pour monture une figure du diable. Il y a là aussi ces « têtes » dont nous avons fait mention et que nous avons expliquées. Cette femme est appelée « Babylone », à cause de la dispersion des peuples, dans l'*Apocalypse* et chez *Isaïe* [a], tandis qu'Ézéchiel l'appelle Sor [b]. Mais si en fin de compte tu compares ce qui est dit de Sor et ce qu'Isaïe et l'*Apocalypse* ont dit de « Babylone », tu trouveras que tout cela est une seule et même chose. 17,3 17,5

3. Quand le texte dit : « Lance la faux aiguisée et vendange les grappes de la vigne », il vise les nations, qui périront lors de la venue du Seigneur. En vérité, ce passage montre les 14,18

14,15   in *messe arida>*, sed semel in aduentum Domini, consum-
5   mationem regni Antichristi et adapertionem regni sancto-
          rum <futurum est>.

14,19-20   **4.** Quod autem dicit *missum in torcular irae Dei et cal-
          catum extra ciuitatem,* calcatio torcularis retributio est pec-
          catoris. *Et exiit sanguis usque ad frenos equorum* : exiet
          ultio usque ad principes populorum, id est rectores, siue dia-
5   bolum siue angelos eius. Nouissimo certamine exiet ultio
          sanguinis effusi — sicut ante praedictum est : *In sanguine
          peccasti et sanguis te persequitur* [c]. *Per stadia mille sexcenta,*
          id est per omnes mundi quattuor partes. Quaternitas est
          enim conquaternata, sicut in quattuor faciebus quadrifor-
10   mibus et rotis [d]. Quater enim quadringenteni mille sexcenti
          sunt.

          XV. Eamdem repetens persecutionem dicit Apocalypsis :
15,1   *Angelos septem habentes plagas quoniam in his finita est ira
          Dei.* Semper enim *ira Dei* percutit populum contumacem
          septem plagis, id est perfecte, ut in Leuitico dicit [a], quae in
5   ultimo futura sunt, cum ecclesia de medio exierit>.

19,11   **XIX.** *Equum autem album et sedentem super eum* :
          Dominum nostrum cum exercitu caelesti aduenientem ad
          regnandum ostendit, cuius in aduentu omnes colligentur
          gentes et gladio cadent. Ceterae autem, quae fuerint nobi-
5   liores, seruabuntur in seruitutem sanctorum, quas et ipsas
20,7-10   quidem oportet in nouissimo tempore consummato regno
          sanctorum ante iudicium rursus dimisso diabolo interfici.
          De his omnibus prophetae simili modo concinunt.

          c. Éz. 35, 6 ‖ d. cf Éz. 1, 10.16
          XV. a. cf. Lév. 26, 28

mêmes événements à travers plusieurs images, comme aussi
celle de « la moisson mûre », mais ils n'adviendront qu'une   14,15
fois lors de la venue du Seigneur, à la fin du règne de
l'Antéchrist, lors de l'ouverture du règne des saints.

4. « Il jeta les grappes dans le pressoir de la colère de   14,19-20
Dieu, et on les foula hors de la cité », est-il dit. Le foulage
du pressoir est la punition du pécheur. « Le sang ira jusqu'au mors des chevaux » : la vengeance atteindra les chefs
des peuples, c'est-à-dire ceux qui le dirigent, le diable ou ses
anges. Lors de l'ultime combat viendra la vengeance du
« sang » répandu, selon la prédiction ancienne : "Tu as péché
par le sang, et le sang te poursuivra [c]." « Sur une longueur
de mille six cents stades », c'est-à-dire aux quatre coins du
monde. On a en effet dans ce chiffre le carré de quatre, tout
comme dans les quatre faces quadriformes et les quatre
roues [d]. Car, quatre fois quatre cents font mille six cents.

XV. L'*Apocalypse* récapitule cette même persécution
quand elle parle « des anges tenant sept fléaux, car en eux   15,1
est accomplie la colère de Dieu. » Toujours, en effet, « la
colère de Dieu » frappe le peuple rebelle de « sept fléaux »,
— c'est-à-dire parfaitement, selon le *Lévitique* [a]. Ils auront
lieu à la fin, quand l'Église disparaîtra aux regards.

XIX. « Le cheval blanc et celui qui le monte » manifes-   19,11
tent notre Seigneur qui vient accompagné de l'armée céleste
pour établir son règne. A sa venue seront rassemblées toutes
les nations, et elles tomberont sous l'épée. Mais les plus
nobles d'entre elles seront maintenues en vie pour être les
esclaves des saints ; ce sont celles-là mêmes qui à la fin des
temps, une fois achevé le règne des saints précédant le juge-   20,7-10
ment, doivent être mises à mort, quand le diable sera relâ-
ché. Les prophètes concordent sur tous ces points.

12,3;20,3   **XX, 1.** *Coccineum autem zabulum includi* et omnes
angelos eius refugas *in tartarum gehennae* in aduentum
20,7-8   Domini nemo ignoret <et> post mille annos dimitti propter
gentes, quae seruiuerint Antichristo, ut ipsae solae pereant,
20,4-6 5   quia sic meruerunt ; dein fieri catholice iudicium. Ideo ait : *Et*
20,12   *uixerunt,* inquit, *mortui scripti in libro uitae et regnauerunt*
cum Christo mille annos. Haec resurrectio prima. Beatus et
sanctus qui habet partem in resurrectione prima : ad hunc
mors secunda non habet potestatem. De hac resurrectione ait :
14,1 10   *Et uidi agnum stantem et cum eo CXLIIII milia,* id est cum
Christo stantes, eos scilicet qui ex Iudeis in nouissimo tempore sunt credituri per praedicationem Heliae, quos non
14,4-5   solum testatur Spiritus corpore uirgineo sed et lingua. Ideo
11,17-18   superius meminit maiores natu XXIIII dixisse : *Gratias agi-*
15   *mus tibi, Domine Deus, qui regnasti ; et gentes indignatae*
sunt.

20,5   **2.** In hac eadem *prima resurrectione* et ciuitas futura et
speciosa per hanc scripturam expressa est. Hanc *primam*
resurrectionem et Paulus ad ecclesiam Macedoniam ita dixit :
Hoc enim uobis ita dicimus, inquit, *in uerbo Dei, quia ipse*
5   *Dominus suscitaturus in tuba Dei descendet de caelo ; et*
mortui in Christo stabunt primi, deinde nos qui uiuimus,
simul rapiemur cum eis in nubibus in obuiam Domino <in
aera et ita semper cum Domino> erimus [a]. Audiuimus dici
tubam ; obseruandum est quod alio loco apostolus aliam
10   tubam nominat. Ait ergo ad Corinthios : *In nouissima tuba*

XX. a. I Thess. 4, 15-17

**Les mille ans
de règne du Christ
et la cité sainte**

XX, 1. Personne ne doit ignorer que « le diable écarlate » et ses anges rebelles « sont enfermés dans l'enfer et la géhenne » à l'arrivée du Seigneur, et relâchés après mille ans, à cause des nations, pour que périssent seulement celles qui auront servi l'Antichrist et ont par là même mérité ce châtiment. Ensuite a lieu le jugement universel. En conséquence, il est dit que « sont revenus à la vie les morts », ceux qui étaient inscrits dans le livre de vie, et qu'« ils régnèrent pendant mille ans avec le Christ. C'est la première résurrection. Heureux et saint qui a part à la première résurrection : sur lui la mort n'a pas de pouvoir. ». Au sujet de cette résurrection il est dit : « Je vis l'Agneau debout et avec lui » — c'est-à-dire debout avec le Christ — « cent quarante quatre milliers » : ce sont certainement ceux d'entre les juifs qui, dans les derniers temps, viendront à la foi grâce à la prédication d'Élie ; l'Esprit atteste qu'ils sont vierges non seulement de corps, mais aussi de langue. Aussi les vingt-quatre vieillards disent-ils — le texte le mentionne plus haut : « Nous te rendons grâces, Seigneur Dieu, toi qui as pris possession de ton règne ; pourtant, les nations se sont mises en fureur. »

2. Lors de cette « première résurrection » prendra place aussi la cité dont ce livre de l'Écriture a dépeint la beauté. De cette « première résurrection », Paul a encore parlé en ces termes à l'Église de Macédoine : "Voici ce que nous vous disons, d'après une parole de Dieu. Au son de la trompette de Dieu, le Seigneur descendra personnellement du ciel pour une résurrection. Ceux qui sont morts dans le Christ se lèveront les premiers ; puis, nous, les vivants, nous serons ravis avec eux dans les nuées, dans les airs, pour aller à la rencontre du Seigneur, et nous serons toujours avec le Seigneur [a]." Nous avons entendu qu'il est parlé d'une trompette. Il faut remarquer qu'ailleurs l'apôtre parle d'une autre trompette. Il dit en effet aux Corinthiens : "Au son de la

Marginal references:
12,3 ;20,3
20,7-8
20,4-6
20,12
14,1
14,4-5
11,17-18
20,5

mortui surgent, immortales fient, *et nos mutabimur* [b].
Mortuos quidem immortales ad poenas sustinendas surgituros dixit, nos autem mutari et gloria contegi manifestum est.
Vbi esse ergo audiuimus nouissimam tubam, intellegere
15 debemus et primam ; haec autem sunt duae *resurrectiones.*
Quotquot ergo non anticipauerint surgere in *prima resur-*
20,4 *rectione* et **regnare cum Christo** super orbem — super
gentes uniuersas —, surgent in nouissima tuba post annos
mille, id est in nouissima *resurrectione,* inter impios et
20 peccatores et uarii generis commissores. Merito adiecit
20,6 dicendo : **Beatus et sanctus qui habet partem in prima anas-**
tase : ad hunc mors secunda non habet potestatem. Mors
autem secunda castigatio est in infernum.

    XXI, 1. In regno ergo et in prima resurrectione exhi-
21,2 betur *ciuitas sancta,* quam dicit *descensuram de caelo*
21,18-20 *quadratam,* differentium et pretiositatis et coloris et
generis *lapidum* circumdatam, *auro mundo,* id est dilu-
21,21 5 cido, *similem. Cristallo,* inquit, *plateam eius stratam ;*
22,1-2 *flumen uitae per medium effluens et uitae fontes aqua-*
rum ; lignum uitae in circuitu, per singulos menses faciens
21,23 *fructus differentes ; lumen ibi solis non esse propter emi-*
nentiorem gloriam. Agnus, inquit, — id est Deus — *lux*
10 *eius est.*

21,21 21,13   **2.** **Portas** uero **eius de singulis margaritis, ternas ex omni-**
21,25 **bus partibus, non clausas,** sed esse **apertas** ; multam ratio-
21,26 nem ostendit scriptura adferri ibi munera regum seruituro-

b. I Cor. 15, 52

trompette finale, les morts ressusciteront", deviendront immortels, "et nous, nous serons transformés [b]." Il a dit que les morts ressusciteront, devenus immortels pour subir les châtiments, tandis que nous, il est clair que nous serons transformés et que nous serons revêtus de gloire. Quand donc nous entendons dire qu'il y a une trompette finale, nous devons comprendre qu'il y en a également eu une première ; ce sont là les deux « résurrections ». Tous ceux donc qui ne seront pas ressuscités auparavant, lors de la « première résurrection », et n'auront pas « régné avec le Christ » sur le monde — sur toutes les nations —, ressusciteront lors de la trompette finale, après mille ans, c'est-à-dire lors de la « résurrection » finale, parmi les impies, les pécheurs et les coupables en tout genre. Notre texte poursuit donc à juste titre en disant : « Heureux et saint celui qui a part à la première *anastasis* : sur lui la mort n'a pas de pouvoir. » Or, la seconde mort, c'est le châtiment dans l'enfer.

20,4

20,6

XXI, 1. Lors du Royaume donc et de la première résurrection, apparaît « la cité sainte », dont on nous dit qu'« elle descendra du ciel », qu'elle est « carrée » et entourée d'un mur de « pierres » variées par le prix, la couleur ou l'espèce, qu'elle est « semblable à de l'or pur », c'est-à-dire transparent. « Sa place, est-il dit, est pavée de cristal ; le fleuve de vie coule en son milieu, ainsi que les sources des eaux de la vie ; alentour se trouve l'arbre de vie qui donne chaque mois des fruits différents ; on n'y trouve pas la lumière du soleil, car elle connaît une gloire plus éminente : l'Agneau, dit le texte, — c'est-à-dire Dieu — est sa lumière. »

21,2

21,18-20

21,21

22,1-2

21,23

2. « Chacune des portes est faite d'une perle ; il y en a trois sur chaque côté. Elles ne sont pas fermées, mais ouvertes », ce que l'Écriture explique amplement en disant qu'on apporte dans la cité les présents des rois qui seront ses esclaves, ceux des régions et des nations : il s'agit de la

21,21

21,13

21,25

21,26

rum, regionum et gentium : de subditione nouissimorum, de
5 quibus tractauimus, ait. Sed ciuitas non ita ut nouimus intellegitur ; nos enim nihil amplius possumus arbitrari sine
duce, quam quod audiuimus et uidimus. Ceterum dicitur
ciuitas omnis illa prouinciarum orientalium regio promissa
patriarchae Abrahae. *Aspice,* inquit, *in caelo, a loco, in quo*
10 *modo tu stas* ᵃ id est *a flumine magno Eufrate usque ad flu-*
men Aegypti ᵇ ; *omnem terram quam tu aspicis, tibi dabo*
illam et semini tuo ᶜ. Deinde Spiritus Sanctus ait :
Dominabitur a mari usque ad mare — id est a mari rubro,
quod est Arabiae, usque ad mare Aquilonis, quod est mare
15 Fenicis — *et usque ad fines terrae* ᵈ : sunt Syriae maioris
partes. Has igitur prouincias uniuersas aequari ᵉ et mundari ᶠ
in aduentum Domini et claritate descendente de caelo tamquam nebula ᵍ superfluente lumine claritatem solis et de
insuper in circuitu contegi ʰ manifestum est.

3. Nam et per Esaiam ita testatus est Spiritus Sanctus :
Tamquam fumus lucis in ignem ardentem omni gloria conte-
getur ⁱ ; et alio loco ait : *Inluminare, Hierusalem ; uenit enim*
tua lux et gloria Domini tibi orta est. Non enim sol inlumi-
5 *nabit tibi <die neque luna tibi> nocte ; erit tibi Dominus*
Deus tuus lumen aeternum ʲ. Et Dauid ait : *Et erit firmamen-*
tum in terra super cacumina montium, et exaltabitur super
Libanum fructus eius, et florebunt de ciuitate tamquam fae-
num terrae ᵏ. Danihel autem dixit lapidem sine manibus
10 excisum percussisse statuam habentem quattuor in se — id
est aurum et argentum, aeramentum et ferrum et in nouissimo testum — et ipsum lapidem, postquam statuam in
puluerem redegerat, factum esse montem magnum, implen-
tem totam terram ˡ. Et ipse regi interpretatus est somnium ᵐ

XXI. a. Gen. 13, 14 ‖ b. Gen. 15, 18 ‖ c. Gen. 13, 15 ‖ d. Ps. 71, 8 ‖
e. cf. Is. 62, 10 ‖ f. cf. Ps 71, 6 ; Is. 4, 4 ‖ g. cf. Is. 4, 5-6 ‖ h. cf. Is. 4, 5-
6 ‖ i. Is. 4, 5 ‖ j. Is. 60, 1.19.20 ‖ k. Ps. 71, 16 ‖ l. cf. Dan. 2, 32-35 ‖
m. cf. Dan. 2, 36

sujétion des dernières nations, dont nous avons déjà traité. Mais il ne faut pas comprendre cette cité selon ce que nous connaissons, car, sans guide, nous ne pouvons de nous mêmes concevoir rien de plus vaste que ce dont nous avons entendu parler ou que nous avons vu. Mais ce qui est appelé cité est toute la région des provinces d'Orient qui avait été promise au patriarche Abraham : "Regarde au ciel, dit l'Écriture, depuis le lieu où tu te tiens présentement [a] — c'est-à-dire, depuis le grand fleuve Euphrate — jusqu'au fleuve d'Égypte [b]. Toute la terre que tu aperçois, je la donnerai à toi et à ta descendance [c]." Par la suite, l'Esprit-Saint a dit : "Il dominera de la mer à la mer" — c'est-à-dire de la mer Rouge en Arabie jusqu'à la mer de Phénicie au Nord — "et jusqu'aux confins de la terre [d]" : ce sont les régions de la grande Syrie. Il est donc clair que ce sont ces provinces tout entières qui sont aplanies [e] et purifiées [f] à la venue du Seigneur, et que lorsque la splendeur descend du ciel comme une nuée [g], elles sont environnées et revêtues d'une lumière venue d'en haut qui surpasse la splendeur du soleil [h].

3. Car, par Isaïe aussi, l'Esprit-Saint l'a attesté : "Cette nuée, pareille à une fumée lumineuse sera revêtue de toute gloire et aura l'éclat d'un feu de flamme [i]." Il dit encore ailleurs : "Sois illuminée, Jérusalem, car voici venue ta lumière, et pour toi s'est levée la gloire du Seigneur ; de jour, le soleil ne t'illuminera plus, ni la lune en la nuit, car le Seigneur ton Dieu sera ta lumière éternelle [j]." David dit encore : "Il y aura sur la terre une forteresse au sommet des monts. Son fruit sera exalté plus que le Liban, et ils fleuriront depuis la cité comme l'herbe de la terre [k]." Daniel dit aussi que la pierre détachée sans l'aide de la main, a frappé la statue aux quatre composants — soit l'or, l'argent, le bronze et le fer et dans son extrémité la terre-cuite — et que cette même pierre, après avoir réduit la statue en poussière, devint une grande montagne emplissant toute la terre [l]. Daniel interpréta lui-même le songe pour le roi [m] en disant :

15 et ait : *Tu es*, inquit, *aureum caput et gens tua. Surget*, inquit,
*regnum aliud humilius te, et tertium regnum erit, quod
dominabitur totae terrae. Quartum autem regnum duris-
simum et fortissimum tamquam ferrum, quod domat
omnia et omnem arborem excidit* [n]. *Et in nouissimo tempore*,
20 inquit, *tamquam testum ferro mixtum miscebuntur homines
et non erunt concordes neque consentanei* [o]. *Et in illis
temporibus suscitabit Dominus Deus regnum aliud, quod
suscipient*, inquit, *sancti summi Dei regnum* [p]. *Et regnum
hoc alia gens non indagabit ; namque Deus percutiet et
25 indagabit omnia regna terrae, et ipsud manebit in per-
petuum* [q].

4. Huius regni mentionem meminit et Paulus ad
Corinthios dicendo : *Oportet eum regnare, donec ponat
inimicos suos sub pedibus sibi* [r]. In hoc regno dicturi sunt
sancti : *Exsultaui* [s] *quemadmodum audiuimus* [t]. In eodem
15,2 5 regno inueniet integram fidem seruantes, quos dicit **stetisse
16,1 supra mare uitreum, habentes citharas et fialas,** id est super
baptismum suum stabiliter constitisse et confessionem suam
in ore habentes ibi exultaturos.

5. In hoc regno promisit seruis suis dicendo : *Quisquis
reliquerit patrem aut matrem uel fratrem et sororem mei
nominis causa, centum partibus multiplicatam recipiet mercedem et nunc, et in futurum uitam aeternam possidebit* [u].
5 In hoc regno, qui fraudati sunt in bonis propter nomen
Domini, etiam omnibus sceleribus et carceribus necati multi
— sed ante aduentum Domini prophetas sanctos lapidati
necati secati sunt [v] — *accipient solatium suum* [w], id est coro-
nas ac diuitias caelestes. In hoc regno promisit se Dominus
10 *redditurum pro annis, quibus comedit locusta et bruchus et*

---

n. Dan. 2, 38-40 ‖ o. Dan. 2, 43 ‖ p. Dan. 7, 18 ‖ q. Dan. 2, 44 ‖ r. I
Cor. 15, 25 ‖ s. Ps. 59, 8 ‖ t. Ps. 47, 9 ‖ u. Matth. 19, 29 ; Mc 10, 30 ‖
v. cf. Hébr. 11, 36-37 ‖ w. Matth. 5, 5

"C'est toi, dit-il, qui es la tête d'or, ainsi que ta maisonnée. Un autre royaume, dit-il, s'élèvera, inférieur à toi, et il y en aura un troisième qui dominera sur toute la terre. Quant au quatrième royaume, il sera très dur et très puissant, comme le fer qui dompte toutes choses et coupe tout arbre [n]." "Et dans les derniers temps, dit-il, les hommes se mêleront comme est mêlée la terre-cuite avec le fer, ils ne seront pas en bonne intelligence ni ne s'accorderont [o]." "Et en ce temps-là, le Seigneur Dieu suscitera un autre royaume, un royaume que recevront, dit-il, les saints du Dieu très-haut [p]." "Et ce royaume, une autre nation ne pourra fondre sur lui ; car Dieu frappera tous les royaumes de la terre et fondra sur eux, mais ce royaume-là demeurera à jamais [q]."

4. C'est ce royaume que Paul aussi mentionne quand il dit aux Corinthiens : "Il faut qu'il règne, jusqu'à ce qu'il place ses ennemis sous ses pieds [r]." Dans ce royaume, les saints diront : "Joie [s] !, comme nous l'avons entendu [t]". Dans ce même royaume, on trouvera ceux qui observent une foi parfaite, ceux dont il est dit qu'« ils sont debout sur la mer de verre avec des cithares et des coupes », ce qui signifie qu'ils sont fermement établis sur leur baptême et qu'avec leur confession de foi à la bouche, ils seront là dans la joie.

15,2
16,1

5. Dans ce royaume, le Christ l'a promis à ses serviteurs, "quiconque aura laissé son père ou sa mère, ou encore son frère et sa sœur, à cause de mon nom, recevra en récompense le centuple dès aujourd'hui, et à l'avenir, il possèdera la vie éternelle [u]". Dans ce royaume, ceux qui auront été frustrés de leurs biens pour le nom du Seigneur, ceux encore qu'on a fait mourir par toutes sortes d'actions criminelles et d'incarcérations — et c'est dès avant la venue du Seigneur que les saints prophètes ont été lapidés, mis à mort, sciés [v] —, ceux-là donc, "recevront leur consolation [w]", c'est-à-dire les couronnes et les richesses célestes. Dans ce royaume, le Seigneur a promis qu'"il compenserait les années où rongè-

corruptela [x]. In hoc seruabitur creatio uniuersa et recondita in se bona iussu Dei eructabit. Hic accipient sancti *pro aeramento aurum et pro ferro argentum* [y] et lapides pretiosos. Hoc loco transferet ad eos *diuitias maris et uirtutes gen-*
15 *tium* [z]. In hoc regno *sacerdotes Domini dicentur ministri Dei* [aa], quomodo dicuntur sacrilegi. In hoc regno *bibent uinum et unguentur unguento* [ab] et tradentur in laetitiam.

6. De hoc regno meminit Dominus, priusquam pateretur, ad apostolos dicens : *Non bibam de fructu uitis huius iam, nisi cum bibam uobiscum nouum in regno futuro* [ac], quod est centum partibus multiplicatum [ad], decies millies ad maiora et
5 meliora.

21,19-20   Nam quod dicit differentes lapides genere et colore exhibebuntur, <de> hominibus hoc dicit ; sed et uarietatem fidei
21,21 pretiosissimam singulorum hominum significat. *Portas*
21,25 autem *margaritas* apostolos esse ostendit. *Non claudentur,*
10 inquit : gratia per illos data est, numquam autem eadem clauditur. Hoc loco *uidebunt faciem contra faciem* [ae], et *unus*
21,12.14 *alterum non requisiuit* [af]. *Nomina* autem esse et patrum et apostolorum *et in fundamentis et super portas* : iam de XXIIII senioribus tractauimus ; et de his qui regnauerint in
15 hoc regno, *ipsi mundum iudicabunt* [ag].

---

x. Joël 2, 25 ‖ y. Is. 60, 17 ‖ z. Is. 60, 5 ‖ aa. Is. 61, 6 ‖ ab. Is. 25, 6.7 ‖ ac. Matth. 26, 29 ‖ ad. cf. Matth. 19, 29 ‖ ae. I Cor. 13, 12 ‖ af. Is. 34, 15 b-16 (LXX) ‖ ag. I Cor. 6, 2

rent la sauterelle, le criquet et la corruption [x]". Dans ce
royaume, la création tout entière sera sauvée et, sur l'ordre
de Dieu, rendra tous les biens enfouis en elle. Alors les saints
recevront "à la place du bronze, de l'or, à la place du fer, de
l'argent [y]" et des pierres précieuses. En ce lieu, Dieu "ache-
minera vers eux les richesses de la mer et les ressources des
nations [z]". Dans ce royaume, "les serviteurs de Dieu seront
appelés prêtres du Seigneur [aa]", eux que l'on accuse d'être
des impies. Dans ce royaume, "ils boiront du vin, s'oindront
de parfum [ab]" et se livreront à la joie.

6. De ce royaume, le Seigneur a fait mention, avant sa
Passion, quand il dit aux apôtres : "Je ne boirai plus du fruit
de cette vigne sinon lorsque je boirai avec vous le vin nouveau dans le royaume à venir [ac] ; c'est cela le centuple [ad],
quelque chose de dix mille fois supérieur et meilleur.

Quand le texte dit qu'on verra des pierres différentes par   21,19-20
le type et la couleur, il parle des hommes, ainsi que de la
très précieuse diversité de la foi de chaque homme. Quant
aux « portes, qui sont des perles », elles désignent les   21,21
apôtres. « Elles ne seront pas fermées », est-il dit : la grâce a   21,25
été donnée à travers les apôtres ; et jamais elle n'est fermée
aux hommes. En ce lieu, "on verra face à face [ae]", et "on ne
s'interrogera plus les uns les autres [af]". « Sur les assises, aussi   21,12.14
bien qu'au-dessus des portes, sont inscrits les noms » des
patriarches et des apôtres : on a déjà traité des vingt-quatre
vieillards, et de ceux qui règneront en ce royaume : "Ils juge-
ront le monde [ag]."

Prologus Hieronymi

Diuersos marina discrimina transuadantes inueniunt casus. Si turbo uentorum fuerit uehementior, formido est; si terga iacentis elementi moderatior crispauerit aura, pertimescunt insidias. Ita mihi in hoc uidetur quod misisti uolumine, quod in Apocalypsin explanationem uidetur continere Victorini. Et est periculosum et obtrectatorum latratibus patens de egregii uiri opusculis iudicare. Nam et anterior Papias Hierapolites episcopus et Nepos in Aegypti partibus episcopus de mille annorum regno ita ut Victorinus senserunt. Et quia me litteris obtestatus es, nolui differre, sed ne spernerem precantem, maiorum libros statim reuolui, et quod in eorum commentariis de mille annorum regno repperi, Victorini opusculis sociaui ablatis inde quae ipse secundum litteram senserit.

A principio libri usque ad crucis signum quae ab imperitiis erant scriptorum uitiata correximus, exinde usque ad finem uoluminis addita esse cognosce. Iam tuum est discernere et quid placeat roborare. Si uita nobis comes fuerit et Dominus sanitatem dederit, tibi nostrum in hoc uolumine potissimum sudabit ingenium, Anatoli carissime.

PROLOGUE DE JÉRÔME

Qui traverse la mer périlleuse rencontre des hasards divers. Si les vents tourbillonnent avec une excessive violence, c'est la peur ; si une brise trop mesurée ride la surface immobile de l'eau, on redoute les attaques. Telle est mon impression à propos du livre que tu m'as envoyé, et qui renferme selon toute apparence le commentaire de l'*Apocalypse* de Victorin. D'une part il est risqué — car cela expose aux aboiements des critiques — de porter un jugement sur l'ouvrage d'un homme éminent. Antérieurement, en effet, Papias, évêque d'Hiérapolis, et Népos, évêque dans la contrée d'Égypte, ont exprimé la même opinion que Victorin sur le royaume millénaire. D'autre part, je n'ai pas voulu tarder à répondre à ta lettre pressante, et pour ne pas faire fi de tes prières, je me suis mis aussitôt à feuilleter les ouvrages des anciens : ce que j'ai trouvé dans leurs commentaires sur le royaume millénaire, je l'ai ajouté à l'ouvrage de Victorin, en retranchant les interprétations littérales de ce dernier.

Depuis le début du livre jusqu'à l'endroit signalé par une croix, nous avons corrigé les erreurs dues aux ignorances des scribes ; sache que ce qui va de là jusqu'à la fin du livre est une addition. A toi maintenant de juger et d'approuver ce qui te plaît. Si la vie ne nous fait pas défaut, et si le Seigneur nous donne la santé, nous mettrons, en pensant à toi, notre peine et nos talents au service de ce livre plus que de tout autre, très cher Anatolius.

1. Nam mille annorum regnum non arbitror esse terrenum : aut si ita sentiendum est, completis annis mille regnare
desinunt. Sed, ut mei sensus capacitas sentit, proferam.
Denarius numerus decalogum significat, et centenarius uir-
5 ginitatis coronam ostendit. Qui enim uirginitatis integrum
seruauerit propositum et decalogi fideliter praecepta
impleuerit et impuros mores uel impuras cogitationes intra
cordis cubiculum iugulauerit, ne dominentur ei, iste uere
20,6 *sacerdos est Christi* et millenarium numerum perficiens
20,2 10 integre creditur *regnare cum Christo* et recte apud eum *liga-*
tus est diabolus. Qui uero uitiis et dogmatibus haereticorum
20,7 irretitus est, in eo *solutus est diabolus.* Sed quia *completis*
mille annis dicit eum *solui,* completo perfectorum sanctorum numero, in quibus corpore et corde uirginitas regnat,
15 adueniente abominandi aduentu multi ab eo amore terreno-
rum seducti supplantabuntur et simul cum eo ingrediuntur
20,3 stagnum. Et *post modicum* tellus reddit sanctorum qui
dudum quieuerant corpora : immortale cum aeterno rege
suscipientes regnum, qui non solum corpore uirgineo sed et
20 lingua et cogitatione, exultaturos cum agno demonstrat.

21,16 **2.** *Ciuitatem* uero quam dicit *quadratam auro* et *pretio-*
21,18-21 *sis* resplendere *lapidibus* et *plateam stratam* et *flumen per*
22,1-2 *medium* et *uitae lignum ex utraque parte faciens fructus*
21,23 *duodecim per duodecim menses* et *solis lumen ibi non esse,*
21,21.13 5 *quia agnus est lux eius* ; et *portae de singulis margaritis, ter-*

[Finale de Jérôme]

1. Je ne pense pas que le règne de mille ans soit un règne terrestre, ou alors, s'il faut l'entendre ainsi, il faudrait admettre qu'une fois les mille ans accomplis, ce règne cesse. Mais je vais dire ce que je suis en mesure de comprendre. Le nombre dix symbolise le décalogue, et cent désigne la couronne de la virginité. Celui en effet qui aura maintenu intact son propos de virginité et aura fidèlement observé les préceptes du décalogue, celui qui aura jugulé dans la chambre de son cœur les mœurs impures et les pensées impures, les empêchant de dominer sur lui, celui-là est effectivement « prêtre du Christ » : il accomplit totalement le nombre 20,6 mille ; nous croyons qu'« il règne avec le Christ », et qu'en 20,2 lui « le diable est » véritablement « enchaîné ». En revanche, 20,7 « le diable est déchaîné » en celui qui s'est laissé prendre aux filets des vices inhérents aux doctrines hérétiques. Toutefois, le texte dit que, « les mille ans accomplis, le diable est libéré de ses chaînes » ; cela veut dire qu'une fois au complet le nombre des saints parfaits en qui règne la virginité du corps et du cœur, quand vient l'avènement de l'Abominable, nombreux sont ceux qui, séduits par l'amour des biens terrestres, seront trompés par lui, et ils vont avec lui dans l'étang de feu. « Après un peu de temps », la terre rend les corps des saints 20,3 qui y dormaient depuis longtemps. Le texte révèle qu'immortel est le règne en possession duquel ceux qui sont vierges non seulement de corps, mais de langue et de pensée, entrent avec le roi éternel pour y exulter avec l'Agneau.

2. « La cité carrée », dont Jean dit qu'elle resplendit de 21,16 l'éclat de « l'or » et des « pierres précieuses », a « une place 21,18-21 pavée » ; « il est en son milieu un fleuve », et « sur l'une et 22,1-2 l'autre berge, l'arbre de vie qui porte douze fructifications pendant les douze mois » ; dans la cité, « il n'y a pas la 21,23 lumière du soleil, car l'Agneau est sa lumière. » « Ses portes 21,21.13

21,25   *nae portae ex quattuor partibus,* et *claudi non posse* : *ciui-*
tatem quadratam sanctorum adunatam turbam ostendit, in
quibus nullo modo fides fluctuare potuit, sicut ad Noe prae-
cipitur, ut ex quadratis lignis faceret arcam ᵃ, quae diluuii
21,19 10   posset impetus ferre. *Pretiosos lapides* fortes in persecutione
uiros ostendit, qui nec tempestate persecutorum moueri nec
impetu pluuiae a uera fide dissolui potuerunt. Propterea
21,18   *auro mundo* sociantur, ex quibus regis magni ciuitas deco-
ratur. *Platea* uero eorum ostenditur corda ab omnibus mun-
22,1-2 15   data sordibus, ubi deambulet Dominus. *Flumen* uero *uitae*
spiritalis natiuitatis currere gratiam ostendit. *Lignum uitae*
ex utraque ripa Christi secundum carnem ostendit aduentum, quem uenturum et passurum uetus lex praedixit et
euangelio manifestatur. *Fructus* uero *duodecim per singulos*
20   *menses* duodecim apostolorum diuersae gratiae ostendun-
tur, quas ab uno ligno crucis suscipientes populos fame
consumptos uerbi Dei praedicatione satiarunt.

21,23   Et quia dicit *in ciuitate solem non esse necessarium,* euidenter ostendit creatorem luminum immaculatum fulgere in
25   medio eius, cuius splendorem nullus poterit sensus cogitare
21,13.21   nec lingua proloqui. *Ex quattuor partibus portas dicit ternas*
esse, positas ex singulis margaritis : quattuor arbitror esse
uirtutes : prudentiam, fortitudinem, iustitiam, temperan-
tiam, quae inuicem sibi haerent et dum mutuo miscentur
30   duodenarium efficiunt numerum.

21,21   *Portae* uero *duodecim* : apostolorum esse credimus numerum, qui in quattuor uirtutibus ut pretiosae margaritae ful-
gentes iter sanctis, lumen doctrinae suae, manifestantes ad
ciuitatem sanctorum ingredi faciunt, ut de conuersatione
21,25 35   eorum angelorum laetetur chorus. *Non posse claudi portas* :

a. cf. Gen. 6, 14

sont faites chacune d'une pierre précieuse » ; « il y a trois
portes sur chacun des quatre côtés » et « on ne peut les fer-   21,25
mer ». « La cité carrée » indique le rassemblement de la
foule des saints, en qui la foi n'a pu en aucune façon vaciller ;
pareillement, c'est avec des bois équarris qu'il avait été prescrit à Noé de construire l'arche ᵃ, pour qu'elle soit en mesure
de résister à l'assaut du déluge. Par « les pierres précieuses »,   21,19
le texte désigne les hommes qui se montrent forts dans la
persécution, ceux que ni la tempête des persécuteurs ni l'assaut de la pluie n'a pu détacher de la vraie foi. C'est pourquoi ils sont associés à « l'or pur », eux qui font la beauté   21,18
de la cité du grand Roi. Quant à « la place », elle désigne les
cœurs purifiés de toute souillure, où peut s'avancer le
Seigneur. « Le fleuve de vie » désigne le courant de grâce de   22,1-2
la naissance spirituelle. « L'arbre de vie sur les deux rives »
désigne la venue du Christ selon la chair : l'ancienne Loi a
prédit qu'il viendrait et souffrirait, et l'Évangile le manifeste.
Par « les douze fructifications, une chaque mois », sont dési-
gnées les grâces diverses des douze apôtres : les cueillant sur
l'arbre unique de la croix, ils ont rassasié par la prédication
de la parole divine les peuples qui meurent de faim.

En disant que « le soleil n'est pas nécessaire dans la cité », le   21,23
texte montre à l'évidence que le Créateur immaculé des luminaires brille en son sein, lui dont nul esprit ne peut imaginer
la splendeur et que nulle langue ne peut décrire. « Sur chacun   21,13.21
des quatre côtés, dit le texte, il y a trois portes, chacune for-
mée d'une seule perle ». Je pense que ce sont les quatre vertus
de prudence, force, justice et tempérance, qui sont liées les
unes aux autres et forment en s'entremêlant le chiffre douze.

« Les douze portes », c'est, croyons-nous, le nombre des   21,21
apôtres qui, tels des perles précieuses étincelantes, fondés
sur les vertus, montrent aux saints le chemin — c'est la
lumière de leur doctrine — et les font accéder à la cité des
saints, afin que le chœur des anges s'y réjouisse de leur com-
pagnie. « Les portes ne peuvent être fermées » : cela montre   21,25

euidenter ostenditur nulla contradicentium tempestate apostolorum doctrinam superari, etiamsi fluctus gentium et
hereticorum insana superstitione ad fidem ueram furiunt ;
superatae eorum spumae dissoluuntur, quia petra Christus
40 est, a quo et per quem ecclesia fundata nullis fluctibus insa-
nientium hominum superatur. Ergo audiendi non sunt qui
mille annorum regnum terrenum esse confirmant, qui cum
Cerintho heretico sentiunt.

à l'évidence que la doctrine des apôtres ne peut jamais être vaincue par la tempête de la contradiction, même si les vagues des païens et des hérétiques déchaînent leur superstition insensée contre la vraie foi ; leur écume vaincue se dissout, car le Christ est un roc : l'Église l'ayant pour origine et fondateur, nulle vague d'hommes insensés ne peut prévaloir contre elle. Il ne faut donc pas écouter ceux qui prétendent que le règne des mille ans est terrestre, suivant en cela l'opinion de l'hérétique Cérinthe.

MANUSCRITS

A : MILAN, Bibliothèque Ambrosienne, H 150 f, fol. 137v-138r (IXe s.).

P : PADOUE, Bibliothèque Universitaire, 1473, fol. 164 (XVe s.).

Le texte suivi est celui du manuscrit *A*. Le passage entre crochets droits est une interpolation qui ne figure pas dans le manuscrit *P*.

FRAGMENT CHRONOLOGIQUE

In commentariis Victorini inter plurima haec etiam scripta reperimus. Inuenimus in membranis Alexandri episcopi qui fuit in Hierusalem quod transcripsit manu sua de exemplaribus apostolorum ita. VIII Kal. Ian. natus est Dominus noster Iesus Christus Sulpicio et Camerino consulibus et baptizatus est VIII Id. Ian. Valeriano et Asiatico consulibus. Passus est X Kal. Apr. Nerone III et Valerio Messala consulibus. Resurrexit VIII Kal. Apr. consulibus suprascriptis. [Ascendit in caelos V Non. Mai. post dies XL consulibus suprascriptis. Johannis Baptista nascitur VIII Kal. Iul. et circumciditur Kal. Iul. Ad Mariam vero locutus est angelus VIII Kal. Apr. sexto iam conceptionis mense Elisabeth habere dicens.] Ex quo supputatur eodem die Dominum fuisse conceptum quo et resurrexit. Amen.

Dans les commentaires de Victorin, nous avons découvert, parmi beaucoup d'autres, ce document. « Nous avons trouvé dans les parchemins d'Alexandre, jadis évêque de Jérusalem, la mention du fait qu'il avait copié, de sa propre main, dans les livres des apôtres le texte suivant. "Le 8 des calendes de janvier (25 décembre) est né notre Seigneur Jésus-Christ, sous le consulat de Sulpicius Camerinus, et il a été baptisé le 8 des ides de janvier (6 janvier) sous le consulat de Valerianus et Asiaticus. Il a souffert la Passion le 10 des calendes d'avril (23 mars), alors qu'étaient consuls Néron pour la troisième fois et Valerius Messala. Il est ressuscité le 8 des calendes d'avril (25 mars) sous les consuls susdits. [Il est monté aux cieux le 5 des nones de mai (3 mai), quarante jours après, sous les consuls susdits. Jean-Baptiste naît le 8 des calendes de juillet (24 juin) et il est circoncis aux calendes de juillet (1er juillet). L'ange a adressé la parole à Marie le 8 des calendes d'avril (25 mars), Élisabeth disant qu'elle en était à son sixième mois.] On en déduit que le Seigneur a été conçu le même jour que celui où il est ressuscité." » Amen.

Manuscrit

L : Londres, Lambeth Palace 414, X[e]-XIe s.

Le *De fabrica mundi* étant connu par cet unique manuscrit, et en l'absence de témoins du texte, nous ne faisons guère que reproduire l'édition de J. Haussleiter (*CSEL* 49), avec très peu d'améliorations :

§ 4, l. 10 : *fabricaret* (fabricauit : *L*).

§ 5, l. 13 : *deuitandam* (deuetando : *L*[1] ; *deuetandi* : *L*[2] ; *deuitandum* (Haussleiter).

LA CONSTRUCTION DU MONDE

DE FABRICA MUNDI

1. Cogitanti mihi <et> una cum animo meo conferenti de fabrica mundi istius in quo clausi tenemur, etiam uelocitas fabricae ipsius haec est, sicut in libro Moysi continetur, quem de conditione eius scripsit, qui genesis appellatur.
5 Totam molem istam deus sex diebus ex nihilo in ornamentum maiestatis suae expressit, septimum qui<etus a> labore benedictione consecrauit ᵃ. Idcirco igitur quoniam septenario numero dierum et caelestia et terrestria omnia reguntur, principii loco de hac septimana, omnium septimanarum
10 regina, meditabor, et prout potuero uirtutis diem ᵇ in eius consummationem conabor exprimere.

2. *In principio fecit Deus* lucem ᵃ eamque duodenario numero horarum die noctuque diuisit, idcirco uidelicet ut laboribus hominum requiei locum noctem dies superduceret, rursus dies superuinceret ac sic alterna uice labor
5 quiet<e noct>is refoueretur, quies exercitatione rursus diei temperaretur. Quarto die *fecit duo luminaria in caelo, maius et minus, ut alterum praeesset diei, alterum nocti* ᵇ — solis et lunae —, ceteraque *sidera posuit in caelo ut lucerent super terram* ᶜ et discernerent tempora et annos et menses et dies
10 et horas ᵈ per stationes.

---

1. a. cf. Gen. 2, 2.3 ‖ b. cf. Ps. 109, 3.
2. a. Gen. 1, 1 ; cf 1, 3 ‖ b. Gen. 1, 16 ‖ c. Gen. 1, 17 ‖ d. cf. Gen. 1, 14.

LA CONSTRUCTION DU MONDE

1. Quand je réfléchis et m'entretiens en esprit sur la construction de ce monde dans lequel nous sommes enclos, je suis toujours frappé par la promptitude de cette construction, selon ce qui en est dit dans le livre que Moïse a écrit sur sa création et qui a pour titre la *Genèse*. En six jours Dieu a tiré du néant tout l'édifice gigantesque de notre monde pour servir d'ornement à sa majesté, et, le septième jour, où il se reposa de son labeur, il le consacra par une bénédiction [a]. Puisque donc toutes les réalités célestes et terrestres sont régies par le nombre sept des jours, en guise d'introduction, je méditerai sur cette semaine qui est la reine de toutes les semaines, et, selon mes capacités, je tenterai d'expliquer le « jour de puissance » [b] en fonction de son accomplissement.

2. « Au commencement, Dieu fit » la lumière [a] et la divisa en jour et nuit par le nombre douze des heures : c'était afin qu'au jour succédât la nuit et l'opportunité pour les hommes de se reposer de leurs travaux, qu'ensuite le jour reprît le dessus, et qu'ainsi, grâce à cette alternance, le repos de la nuit apportât le réconfort du labeur, et l'activité du jour la mesure du repos. Le quatrième jour, « Dieu fit deux luminaires dans le ciel, un grand et un petit, pour que l'un présidât au jour et l'autre à la nuit [b] » — ce sont le soleil et la lune —, et « il plaça dans le ciel tous les autres astres pour qu'ils brillent au-dessus de la terre [c] » et marquent les temps, les années, les mois, les jours et les heures [d] par leurs veilles.

3. Nunc ratio ueritatis ostenditur, quare dies IIII tetras
nuncupatur, quare usque ad horam nonam ieiunamus <aut>
usque ad uesperum aut superpositio usque in alterum diem
fiat. Mundus itaque iste ex quattuor elementis constat : igne
5 aqua caelo terra ; haec igitur quattuor elementa tetradem
faciunt. Sol quoque et luna per anni spatium quattuor tempora efficiunt : ueris aestatis autumni hiemis, et haec tempora tetradem faciunt. Et ut ex ea re longius enarrem, ecce
quattuor animalia ante thronum Dei [a] — quattuor euange-
10 lia —, quattuor flumina in paradiso fluentia [b] ; quattuor
generationes populorum : ab Adam usque ad Noe, a Noe
usque ad Abraham, ab Abraham usque ad Moysen, a Moyse
usque ad Christum Dominum filium Dei. Et quattuor animalia : hominis uituli leonis aquilae [c] ; et quattuor flumina :
15 Fison Geon Tigris et Eufrates [d]. Homo Christus Iesus auc-
tor eorum quae supra memorauimus tetrade ab impiis comprehensus est. Itaque ob captiuitatem eius tetradem, ob
maiestatis operum suorum et <ut> tempora humanitati salu-
bria, frugibus laeta, tempestatibus tranquilla decurrant, ideo
20 <aut stationem> aut superpositionem facimus.

4. Die quinto terra et aqua fetus suos ediderunt [a]. Die
sexto creata sunt quae deerant. Ac sic Deus hominem de
humo [b]instruxit dominum omnium rerum, quas super terram et super aquam creauit [c]. Prius tamen angelos atque
5 archangelos creauit, spiritalia terrenis anteponens. Prius
enim lux quam caelum et terra. Hic dies sextus parasceue
appellatur, praeparatio scilicet regni. Adam enimque ad imaginem et similitudinem suam consummauit [d]. Idcirco autem
prius opera sua consummauit quam angelos crearet et homi-

3. a. cf. Apoc. 4, 6 ‖ b. cf. Gen. 2, 10 ‖ c. cf. Apoc. 4, 7 ‖ d. cf. Gen.
2, 11-14.
4. a. cf. Gen. 1, 20-23 ‖ b. cf. Gen 2, 7 ‖ c. cf. Gen. 1, 28 ‖ d. cf. Gen.
1, 26.

3. La logique de la vraie doctrine apparaît donc : nous comprenons pourquoi le quatrième jour est appelé tétrade, pourquoi nous y jeûnons jusqu'à la neuvième heure, ou jusqu'au soir, ou encore pourquoi nous prolongeons le jeûne jusqu'au lendemain. Ainsi, ce monde est composé de quatre éléments : feu, eau, ciel, terre ; ces quatre éléments forment une tétrade. Pareillement, le soleil et la lune divisent le cours de l'année en quatre saisons : printemps, été, automne, hiver ; ces saisons aussi forment une tétrade. Et pour développer davantage ce point, je dirai qu'il y a quatre animaux devant le trône de Dieu [a], quatre évangiles, quatre fleuves coulant dans le paradis [b] ; quatre générations de peuples : d'Adam à Noé, de Noé à Abraham, d'Abraham à Moïse, de Moïse au Christ Seigneur, le Fils de Dieu. Et les quatre animaux sont : l'homme, le veau, le lion, l'aigle [c]. Et les quatre fleuves sont : le Fison, le Géon, le Tigre et l'Euphrate [d]. En tant qu'homme, le Christ Jésus, auteur de toutes ces œuvres que nous avons mentionnées plus haut, fut arrêté par les hommes le jour de la tétrade. C'est pourquoi, à cause de son incarcération pendant la tétrade, à cause de la grandeur sublime de ses œuvres, et afin de demander que le cours des saisons soit salutaire pour l'humanité, riche en moissons, préservé des intempéries, nous pratiquons ce jour-là une station ou un jeûne prolongé.

4. Le cinquième jour, la terre et l'eau produisirent leurs animaux respectifs [a]. Le sixième jour fut créé tout ce qui faisait encore défaut. C'est ainsi que Dieu modela l'homme à partir du sol [b] pour qu'il exerçât sa domination sur tous les êtres qu'il avait créés sur la terre et sur les eaux [c]. Auparavant toutefois, Dieu a créé les anges et les archanges, faisant passer le spirituel avant le terrestre : la lumière vient en effet avant le ciel et la terre. Ce sixième jour est appelé parascève, c'est-à-dire préparation du Royaume : car il a parfait Adam à son image et ressemblance [d]. Mais avant de créer les anges et de façonner l'homme, il a achevé ses œuvres, de peur

10 nem fabricaret, ne forte adiutores se fuisse falsa dictione
adseuerarent.

5. *Die septimo requieuit ab omnibus operibus suis et
benedixit eum et sanctificauit* [a]. Hac die solemus superponere, idcirco ut die dominico cum gratiarum actione ad
panem exeamus. Et parasceue superpositio fiat, nequid cum
5 Iudaeis sabbatum obseruare uideamur, quod ipse *dominus
sabbati* Christus [b] per prophetas suos *odisse animam suam* [c]
dicit, quod sabbatum corpore suo resoluit. Prius autem, cum
ipse Moysi praeciperet ne circumcisio diem octauam praeteriret [d], quae die sabbato plerumque incurrit, sicut in euan-
10 gelio scriptum legimus [e], Moyses, prospiciens duritiam
populi istius, idcirco die sabbati leuauit manus et se ipsum
crucifixit in proelio quod ab allophylis sabbato <factum
est> [f], ut caperentur et seueritate legis ad deuitandam disciplinam formarentur.

6. Et ideo Dauid in psalmo VI *pro die octauo* Dominum
rogat, *ne in ira neque in furore suo arguat eum aut iudicet* [a].
Hic est enim reuera futuri illius iudicii dies octauus, qui
extra ordinem septimanae dispositionis excessurus est. Iesus
5 quoque Naue successor Moysi et ipse sabbatum resoluit.
Die enim sabbati praecepit filiis Israel, ut muros ciuitatis
Hiericho tubicinibus circuirent et bellum allophyllis indica-
rent [b]. Matthias autem princeps Iudae sabbatum resoluit ;
nam praefectum Antiochi regis Syriae sabbato occidit et
10 allophylis sua persecutione subiecit [c]. Et apud Matthaeum [d]
scriptum legimus [...]. Esaias quoque et ceteri collegae eius [e]
sabbatum resoluerunt, ut uerum illud et iustum sabbatum
septimo miliario annorum obseruaretur. Quamobrem sep-

5. a. Gen. 2, 2.3 ‖ b. Matth. 12, 8 ‖ c. Is. 1, 13-14 ‖ d. cf. Lév. 12, 3 ‖
e. cf. Jn 7, 22 ‖ f. cf. Ex. 17, 8-13.
6. a. Ps. 6, 1.2 ‖ b. cf. Jos. 6, 3.15 ‖ c. cf. 1 Macc. 2, 25. 41. 47 ‖ d. cf.
Matth. 12, 3-5 ‖ e. cf. Is. 1, 13 ; Os. 2, 13

qu'ils n'assurent mensongèrement qu'ils avaient été en cela ses auxiliaires.

5. « Le septième jour, Dieu se reposa de toutes ses œuvres, il bénit ce jour et le sanctifia [a]. » En ce jour, notre coutume est de prolonger le jeûne, en sorte que, le jour du Seigneur, nous allions vers le pain en rendant grâces. Le jour de la parascève aussi, que l'on fasse un jeûne prolongé, pour ne pas donner l'impression que nous observons avec les juifs ce sabbat dont le Christ lui-même, « qui est maître du sabbat [b] », dit par les prophètes que « son âme le hait [c] », ce sabbat qu'il a aboli dans son corps. Car déjà auparavant, tandis que lui-même prescrivait à Moïse de ne pas outrepasser pour la circoncision le huitième jour [d] après la naissance — un huitième jour qui tombe souvent le sabbat, ainsi que nous le voyons écrit dans l'Évangile [e] —, Moïse, parce qu'il voyait par avance l'endurcissement de ce peuple, leva les mains un jour de sabbat et se crucifia lui-même lors du combat que les païens leur livraient le sabbat [f] : c'était afin que les païens fussent captifs du Christ et formés par la rigueur du précepte à éviter le châtiment.

6. Et si David aussi, dans le *Psaume sixième,* prie le Seigneur « en vue du huitième jour », c'est pour qu'il « ne le corrige ni ne le châtie avec colère et fureur [a] ». C'est là en effet le huitième jour où doit réellement advenir le jugement, ce huitième jour qui sera en dehors du déroulement de l'économie de la semaine. Jésus Navé aussi, le successeur de Moïse, a aboli le sabbat ; un jour de sabbat, en effet, il a prescrit aux fils d'Israël de faire le tour des murailles de Jéricho avec les joueurs de trompette, et de déclarer la guerre aux païens [b]. Quant à Matthias, chef de Juda, il a aboli le sabbat en tuant le préfet du roi Antiochus de Syrie un sabbat, en poursuivant les païens ce jour-là et en les soumettant [c]. Dans *Matthieu* [d] aussi nous lisons qu'il est écrit [...]. Isaïe et ses collègues [e] ont aboli le sabbat, afin que fût observé le sabbat vrai et légitime, celui du septième millénaire. C'est la rai-

tem diebus istis Dominus singula milia annorum adsignauit.
15 Sic enim cautum est : *In oculis tuis, Domine, mille anni ut
dies una* [f]. Ergo in oculis Dei singula milia annorum consti-
tuta sunt : *septem* enim habeo *oculos Domini* [g]. Quapropter,
ut memoraui, uerum illud sabbatum est septimum miliarium, in quo Christus cum electis suis regnaturus est [h].

7. Septem quoque caeli illis diebus conueniunt. Sic enim
cautum est : *Verbo Domini caeli firmati sunt et spiritu oris
eius omnis uirtus eorum* [a]. Hi septem spiritus. Nomina sunt
eorum spiritus qui supra Christum Dei requieuerunt, ut
5 apud Esaiam prophetam cautum est : *Et requiescit super
eum spiritus sapientiae et intellectus, spiritus consilii et uirtutis, spiritus scientiae et pietatis, et repleuit illum spiritus
timoris Dei* [b]. Summum ergo caelum sapientiae, secundum
intellectus, tertium consilii, quartum uirtutis, quintum
10 scientiae, sextum pietatis, septimum timoris Dei. Ex hoc
ergo tonitrua mugiunt, fulmina extenduntur, ignes conglobantur, trabes ardentes apparent, sidera radiant, comae hor-
ribiles coruscant, nonnumquam accedit etiam sol et luna :
inuicem uisitantur atque illa ultra formidabilia lumina,
15 radiantia in acie aspectu eius, efficiunt. Auctori autem totius
creaturae istius uerbo cognomen est ei. Sic enim dicit Pater
eius : *Eructatum est cor meum uerbum bonum* [c]. Iohannes
euangelista sic dicit : *In principio erat uerbum et uerbum
erat apud Deum et Deus erat uerbum. Hoc erat in principio
20 apud Deum. Omnia per ipsum facta sunt et sine eo factum
est nihil* [d]. Ergo primus factus creaturae [e] est, secundus
hominis <uel> humani generis, ut ait apostolus [f]. Hoc igitur
uerbum, cum lucem fecit, sapientia uocatur ; cum caelum,

---

f. Ps. 89, 4 ; II Pierre 3, 8 ‖ g. Zach. 4, 10 ‖ h. cf. Apoc. 20, 6.
7. a. Ps. 32, 6 ‖ b. Is. 11, 2.3 ‖ c. Ps. 44, 2 ‖ d. Jn 1, 1-3 ‖ e. cf. Col.
1, 15 ‖ f. cf. I Cor. 15, 47.

son pour laquelle le Seigneur a assigné mille ans à chacun des jours de la création, comme le garantit l'Écriture : « A tes yeux, Seigneur, mille ans sont comme un jour [f]. » Aux yeux de Dieu donc sont départis mille ans : or, je trouve écrit qu'il y a « sept yeux du Seigneur [g] ». C'est pourquoi, comme je l'ai dit, le sabbat véridique est le septième millénaire pendant lequel le Christ règnera avec ses élus [h].

7. Aux sept jours de la création correspondent aussi sept cieux. Il est écrit en effet : « Par le Verbe du Seigneur les cieux furent affermis, et par l'Esprit de sa bouche toute leur force [a]. » Ces cieux sont les sept esprits. Leurs noms sont ceux des esprits qui ont reposé sur le Christ de Dieu, comme le garantit Isaïe le prophète : « Sur lui repose l'esprit de sagesse et d'intelligence, esprit de conseil et de force, esprit de science et de piété, et il est empli de l'esprit de la crainte de Dieu [b]. » Par conséquent, le ciel le plus haut est celui de la sagesse, le second celui de l'intelligence, le troisième celui du conseil, le quatrième celui de force, le cinquième celui de la science, le sixième celui de la piété, le septième celui de la crainte de Dieu. Aussi est-ce à partir de ce dernier ciel que le tonnerre retentit, que les éclairs s'élancent, que se forment des boules de feu, qu'apparaissent des météores enflammés, que les astres flamboient, que les effrayantes comètes étincellent. Parfois même le soleil et la lune s'en mêlent : ils se rendent mutuellement visite et produisent spontanément une lumière formidable, qui irradie le regard de qui les voit. Or, l'auteur de toute cette création a pour nom "Verbe". Car ainsi parle son Père : « Mon cœur a exhalé un Verbe bon [c]. » Ainsi parle Jean l'évangéliste : « Au commencement était le Verbe, et le Verbe était auprès de Dieu, et le Verbe était Dieu. Il était au commencement auprès de Dieu. Tout par lui a été fait, et sans lui rien n'a été fait [d]. » Il est par conséquent le premier-né de la création [e], le second par rapport à l'homme et au genre humain, comme le dit l'Apôtre [f]. Ce Verbe donc est appelé sagesse quand il a créé la lumière ;

intellectus ; cum terram et mare, consilium ; cum solem et
25 lunam ceteraque clara, uirtus ; cum terrae et mari <fetus>
excitat, scientia ; cum hominem finxit, pietas ; cum hominem
benedicit et sanctificat, timor Dei nomen habet.

8. Ecce septem cornula agnuli [a], septem oculi Dei [b], septem oculi stagnei [c], septem spiritus [d], septem faces ardentes
ante thronum Dei [e], septem candelabra aurea [f], septem oui-
culae [g], septem mulieres apud Esaiam [h], septem ecclesiae
5 apud Paulum, septem diacones [i], septem angeli [j], septem
tubae [k], septem signacula libri [l], septem septimanae quibus
Pentecoste concluditur [m], septem septimanae item sexaginta
tres septimanae apud Danihelum [n], apud Noe septem omnia
munda in arca [o], septem uindictae de Cain [p], septem anni
10 remittendi debiti [q], lucerna cum septem orificiis [r], septem
columnae sapientiae in domum Salomonis [s].

9. Nunc igitur de inenarrabili gloria Dei et prouidentia
uideas memorari : tamen, ut mens parua poterit, conabor
ostendere. Vt Adam illum per septimanam reformauerit
atque uniuersae creaturae suae subuenerit, natiuitate filii sui
5 Iesu Christi domini nostri factum est.

Quis itaque lege Dei doctus, quis plenus spiritu sancto,
non respiciat corde, ea die Gabrihel angelum Mariae uirgini
euangelizasse [a], qua die draco Euam seduxit ; ea die spiritum
sanctum Mariam uirginem inundasse, qua lucem fecit ; ea
10 die in carne esse conuersum, qua terram et aquam fecit ; ea
die in lacte esse conuersum, qua stellas fecit ; ea die in sanguine, qua terra et aqua fetus suos ediderant ; ea die in carne
esse conuersum, qua die hominem de humo instruxit ; ea die
natum esse Christum, qua hominem finxit ; eadem die esse

---

8. a. cf. Apoc. 5, 6 ‖ b. cf. Zach. 4, 10 ‖ c. cf. Zach. 3, 9 ‖ d. cf. Apoc.
4, 5 ‖ e. cf. Apoc. 4, 5 ‖ f. cf. Apoc. 1, 13.20 ‖ g. cf. Gen. 21, 28. 29 ‖
h. cf. Is. 4, 1 ‖ i. cf. Act. 6, 3 ‖ j. cf. Apoc. 8, 1 ; 15, 1 ‖ k. cf. Apoc. 8, 6
‖ l. cf. Apoc. 5, 1 ‖ m. cf. Lév. 23, 15-16 ‖ n. cf. Dan. 9, 24-27 ‖ o. cf.
Gen. 7, 2 ‖ p. cf. Gen. 4, 15 ; 4, 24 ‖ q. cf. Deut. 15, 1 ‖ r. cf. Zach. 4, 2
‖ s. cf. Prov. 9, 1.
    9. a. cf. Lc 1, 28

intelligence quand il a créé le ciel ; conseil quand il a créé la terre et la mer ; force quand il a créé le soleil, la lune et les autres objets lumineux ; science quand il fait surgir les fruits de la terre et de la mer ; piété quand il a façonné l'homme ; quand il bénit l'homme et le sanctifie, il a pour nom crainte de Dieu.

8. Voilà les sept cornes de l'agneau [a], les sept yeux de Dieu [b], les sept yeux d'étain [c], les sept esprits [d], les sept lampes de feu devant le trône de Dieu [e]. Sept chandeliers d'or [f], sept brebis [g], sept femmes chez Isaïe [h], sept Églises chez Paul, sept diacres [i]. Sept anges [j], sept trompettes [k], sept sceaux du livre [l], sept semaines s'achevant par la Pentecôte [m], ainsi que les sept et encore soixante-trois semaines chez Daniel [n]. Sept exemplaires de tout ce qu'il y a de pur dans l'arche avec Noé [o], sept vengeances de Caïn [p], sept années pour la remise des dettes [q], la lampe aux sept orifices [r], sept colonnes de la Sagesse dans la demeure de Salomon [s].

9. Ainsi, la gloire et la providence indicibles de Dieu ont d'ores et déjà été célébrées. Je vais néanmoins m'efforcer de les mettre en relief autant que me le permettra ma petite intelligence. Recréer le premier Adam par le moyen de la semaine, et venir ainsi en aide à toute la création, Dieu l'a accompli par l'incarnation de son Fils Jésus-Christ notre Seigneur.

Quel est donc l'homme, instruit dans la Loi de Dieu et rempli de l'Esprit-Saint, qui ne voit des yeux du cœur que l'ange Gabriel apporta la bonne nouvelle à Marie [a] le jour même où le dragon trompa Ève ; que l'Esprit-Saint se répandit sur la Vierge Marie le jour de la création de la lumière ; il se changea en chair le jour de la création de la terre et des eaux ; il se changea en lait le jour de la création des étoiles ; il se changea en sang le jour où la terre et les eaux produisirent leurs fruits ; il se changea en chair le jour où l'homme fut formé à partir de la glaise ; le Christ est né le jour où il

15   passum, qua Adam cecidit ; ea die resurrexisse a mortuis,
      qua lucem fecit.
          Humanitatem quoque suam septenario numero consum-
      mat : natiuitatis, infantiae, pueritiae, adulescentiae, iuuentu-
      tis, perfectae aetatis, occasus ; Iudaeis quoque humanitatem
20   suam etiam his modis ostendit : cum esurit [b], sitit [c], cibum
      potumque cepit [d], cum ambulat [e] et secessit [f], cum super
      ceruicale dormiuit [g]. Cum autem freta orta procella pedibus
      ingreditur [h], uentis imperat [i], aegros curat [j] et clodos refor-
      mat [k], <caecos illuminat [l], surdos auditione et mutos> elo-
25   quentia instituit [m], uide eum Dominum se esse nuntiare eis.
          10. De duodenario numero, dies, ut supra memoraui, per
      duodenas horas bifarie diuisus est lucis et noctis. Per has
      namque horas menses et anni et tempora et saecula compu-
      tantur. Constituti sunt itaque sine dubietate diei angeli duo-
5   decim, noctis angeli duodecim, pro numero scilicet hora-
      rum. Hi sunt namque XXIIII testes dierum et noctium, qui
      sedent ante thronum Dei, coronas aureas in capitibus suis
      habentes, quos Apocalypsis Iohannis apostoli et euangelis-
      tae seniores uocat [a], idcirco quia seniores sunt et aliis ange-
10   lis et hominibus.

---

b. cf. Matth. 4, 2 ǁ c. cf. Jn 4, 7 ǁ d. cf. Lc 7, 34 ǁ e. cf. Matth. 4, 18 ǁ
f. cf. Jn 6, 15 ; Matth. 4, 12 ǁ g. cf. Mc 4, 38 ǁ h. cf. Jn 6, 18-19 ; Matth.
14, 22-23 ǁ i. cf. Lc 8, 25 ǁ j. cf. Matth. 12, 15 ǁ k. cf. Matth. 15, 31 ǁ l. cf.
Matth. 15, 31 ǁ m. cf. Mc 7, 37
10. a. cf. Apoc. 4, 4.

façonna l'homme ; il souffrit sa Passion le jour-même de la chute d'Adam ; il ressuscita des morts le jour de la création de la lumière.

Il accomplit également son humanité par le nombre sept : naissance, stade infantile, enfance, adolescence, jeunesse, maturité, déclin. Il manifeste aussi son humanité aux juifs de la même façon : quand il a faim [b], quand il a soif [c], quand il prend nourriture et boisson [d], quand il marche [e] et s'est retiré au désert [f], quand il a dormi sur le coussin [g]. Mais quand il s'avance en marchant sur les flots soulevés par la tempête [h], commande aux vents [i], guérit les malades [j], rétablit les boiteux [k], redonne la vue aux aveugles [l], rend l'ouïe aux sourds et la faculté de parler aux muets [m], vois comme il leur annonce qu'il est le Seigneur.

10. Pour ce qui est du nombre douze, la journée, comme je l'ai dit plus haut, est divisée en deux par les douze heures du jour et de la nuit. Ces heures servent en effet au décompte des mois, des époques et des siècles. Il ne fait pas de doute qu'ont été institués douze anges du jour et douze anges de la nuit en fonction du nombre des heures. Ce sont là les vingt-quatre témoins des jours et des nuits qui siègent devant le trône de Dieu avec des couronnes d'or sur la tête : l'apôtre et évangéliste Jean, dans son *Apocalypse,* les nomme anciens [a], pour cette raison qu'ils sont plus anciens et que les autres anges et que les hommes.

COMMENTAIRE

SUR L'APOCALYPSE

I

1. a Deo. Pour *ab eo* ; Victorin est le premier témoin occidental de cette variante du NT attestée dans certains manuscrits grecs. Cf. E.B. ALLO, *L'Apocalypse*, p. 5 et CCLXXXVI, et *VP*, p. 87-88.

qui est — uenturus est. Application à Jésus du nom de Dieu révélé à Moïse, comme dans TERT., *Prax.* 17, 4 (*CC* 2, p. 1183, 20-26) : « Si autem uolunt et Christi nomen Patris esse audient suo loco ».

permanet. Cf. Ps. 101, 13 (LXX) : Σὺ δέ, κύριε, εἰς τὸν αἰῶνα μένεις.

non ex uirgine initium sumpsit. Expression archaïque de la pré-existence du Christ, qui paraît remonter à la lutte contre les ébio-nites (*VP*, n. IV, 2, 55).

septiformi spiritu. Ce n'est pas une citation exacte d'*Apoc.* 1, 4. On trouve auparavant chez Origène l'expression « Esprit sep-tuple » (*VP*, n. IV, 2, 125).

in Esaia : texte abrégé d'*Is.* 11, 2-3, comme c'est souvent le cas dans l'Église ancienne ; Cf. IRÉN., *Haer.* 6, 9, 3 (*SC* 211, p. 108, 81) ; TERT., *Marc.* 5, 8, 4 (*CC* 1, p. 686, 3).

spiritus unius ... dona. Cf. *I Cor.* 12, 4. Le même rapprochement de textes figure chez Hippolyte (cité dans DENYS BAR SALIBI, *In Apoc.* = *CSCO* 101, p. 2, 32) ; P. PRIGENT, « Hippolyte... », p. 409. Les sept Esprits sont l'unique Esprit : sur cette idée chez Victorin, cf. *VP*, p. 151-152 ; K. SCHLÜTZ, *Isaias 11, 2. Die Sieben Gaben*

des heiligen Geistes in den ersten vier christlichen Jahrhunderten,
Münster 1932.

primogenitus ex mortuis. *Apoc.* 1, 5. *Ex* (pour le génitif seul en
grec) figure chez Priscillien, Ambroise et Vigile de Thapse (Cf. W-
W.), probablement par contamination avec *Col.* 1, 18.

In homine suscepto. Expression déjà utilisée par Tertullien à propos de l'Incarnation (R. BRAUN, *Deus Christianorum,* p. 310). Ici,
comme dans la théologie johannique, le témoignage est le but premier de l'Incarnation (Cf. *Jn* 18, 39).

soluit a peccato. Cette lecture correspond au grec λύω (pour
λούω), donné par les mss *A, C* du NT, ainsi que par une correction du Sinaiticus : le texte de Victorin n'est pas fondé sur le texte
alexandrin le plus ancien (cf. *VP,* n. II, 1, 186).

debellato inferno : *debellare* garde le sens fort de "soumettre par
les armes" et *infernum* est personnifié, comme dans *Apoc.* 6, 8 et
20, 14. Image archaïque de la descente aux enfers comme combat
singulier du Christ contre la Mort. Cf. *Hébr.* 2, 14.

Et fecit nos — sacerdotes. Contamination d'*Ex.* 19, 6 et de *I Pierre*
2, 9. « Regnum *et* sacerdotes » : *et* est absent de la majorité des
manuscrits grecs, à l'exception de P(025) ; cf. E.B. ALLO,
L'Apocalypse, p. 5 ; c'est probablement une correction, attestée
chez Tertullien, Jérôme, et dans le *Gigas* (Cf. W-W).

occultus — manifestus. Parallèle antithétique entre les deux
venues du Christ, classique depuis Justin, mais ici exprimé dans les
mêmes termes que dans CYPR., *Idol.* 12 (*CSEL* 3, 1, p. 29, 4) ; *VP,*
p. 304.

2. ambulantem. Selon *Apoc.* 2, 1 et non 1, 13. (contamination fréquente : *ambulantem* apparaît en 1, 13 dans plusieurs manuscrits
de la Vulgate et de la *Vetus Latina.*). Sur la question du texte de
l'*Apocalypse* qu'utilise Victorin, voir *VP,* p. 85-88.

post mortem deuictam. Cf. *I Cor.* 15, 26 ; TERT., *Prax.* 25, 2 (*CC*
2, p. 1195, 7) ; *VP,* n. IV, 2, 176.

adunato isto corpore. Dans la traduction latine d'Irénée, le verbe *adunare* traduit ἑνόω : union de l'humanité à Dieu par le Christ (IRÉN., *Haer.* 5, 20, 2 = *SC* 153, p. 260, 56) ; *VP*, n. IV, 2, 180.

cum spiritu gloriae, quam recepit a Patre. D'après *I Pierre* 1, 21 et 1, 14, la gloire donnée au Christ par le Père est l'Esprit promis selon *Act.* 2, 33.

quasi filius Dei. Façon maladroite de dire que le Christ n'est pas seulement homme : JUST., *Dial.* 76, 1 (éd. Archambault, p. 6) ; LACT., *I.D.* 4, 12, 15 (*CSEL* 19, p. 313, 8) ; *VP*, p. 243.

antiquitas. Le mot n'est guère appliqué à des personnes (mais *antiquus* l'est en latin archaïque). Allusion à *Dan* 7, 9. Le mot réapparaît avec ce sens dans AUG., *In Gal.* 40 (*PL* 35, 2134) et ZÉN., *Tract.* 1, 8 (*CC* 22, p. 46, 13-14), probablement sous l'influence de Victorin.

immortalitas. Synonyme d'*aeternitas* (*TLL*, s. v. *immortalitas*, c. 497, 5). Cf. *I Tim.* 1, 17 ; 6, 16.

capillis albis. Les cheveux sont les croyants parce qu'ils sont « attachés » à la tête, le Christ (cf. ORIG., *In Lc Cat.* 113 = *SC* 87, p. 506, *fr.* 60). La blancheur évoque les néophytes, appelés *candidati* (plus fréquent en ce sens), mais aussi *albati* : TERT, *Scorp.* 12, 10 (*CC* 2, p. 1093, 28) ; PAUL M., *Vita Ambros.* 52 (éd. Bastiaensen, p. 120) ; *TLL*, s. v. *albatus*, c. 1488, 27.

similis niui. La comparaison avec la neige rappelle que les croyants sont « nés d'en haut », selon *Jn* 3, 27, etc.

Oculi ut flamma ignis. Thème johannique (et irénéen) de la manifestation de la lumière comme jugement du monde : *Jn* 3, 19 ; IRÉN., *Haer.* 4, 6, 5. 7 (*SC* 100, p. 446. 551). Cf. aussi HIPP., *In Dan.* 4, 37, 4 (*SC* 14, p. 338, 14) et ORIG., *In Joh..* 2, 56-57 (*SC* 120, p. 240) ; 13, 139 (*SC* 222, p. 104).

3. **Facies eius apparitio illius.** *Apparitio* correspond à ἐπιφάνεια ; l'Incarnation est par excellence le moment où Dieu se montre à l'homme (*VP*, p. 155 ; n. III, 1, 38-41).

facie contra faciem. L'Incarnation est la véritable vision face-à-face d'*Ex.* 33, 11. Cf. IRÉN., *Haer.* 4, 11, 1 (*SC* 100, p. 496, 3) ; 4, 20, 9 (p. 654, 242) ; TERT., *Prax.* 14, 6-9 (*CC* 2, p. 1177, 50 s.).

propter ortum solis. Symbolique du Christ Soleil (J. DÖLGER, *Sol Salutis,* Münster 1925, p. 364 s. ; 157-170 ; ID. *Die Sonne der Gerechtigkeit und der Schwarze,* Münster 1918, p. 100-110). L'alternance du jour et de la nuit est déjà utilisée par CLÉM. R., *Cor.* 24, 3 (*SC* 167, p. 142-143), pour montrer la vraisemblance de la Résurrection. Influence de ce passage de Victorin sur CHROM., *In Matth.* 54 A, 3 (*CC* 9A, *Suppl.* p. 629, 49-64) et ZÉN., *Tract.* 2, 12, 4 (*CC* 22, p. 185, 35 s.).

4. **In ueste sacerdotali.** Glose du grec ποδήρης, mot qui, dans la *Vetus Latina,* est soit transcrit en *poderes,* soit traduit par *tunica talaris* : Cf. W-W, apparat critique ; JÉR., *In Zach.* 1 (3, 1-5) = *CC* 76A, p. 771, 62 ; IRÉN., *Haer.* 4, 20, 11 (*SC* 100, p. 664, 308) ; Cf. *VP,* n. III, 1, 48. Sur l'image du vêtement dans la symbolique de l'Incarnation, cf. A. KEHL, art. « Gewand (der Seele) », *RAC* 10, 1978, c. 979-984 ; R. BRAUN, *Deus Christianorum,* p. 310-313. Ici, le vêtement sacerdotal désigne le corps du Ressuscité ; Cf. TERT., *Iud.* 14, 8 (*CC* 2, p. 1393-1394).

aeternum sacerdotium. Cf. *Ps.* 109, 4 et *Hébr.* 7, 24.

Mammae duo sunt testamenta. *Odes de Salomon* 8, 16 ; 19, 2-4 (E. ERBETTA, *Gli Apocrifi del NT,* I, p. 625 et 636) ; HIPPOLYTE, *In Apoc.* (= DENYS BAR SALIBI, *In Apoc.* = *CSCO* 101, p. 4, 5) ; *In Cant fr.* 3 (*GCS* 1, p. 215, 17 ; P. PRIGENT, « Hippolyte... », p. 398) ; ORIG., *In Ez. cat.* (*PG* 13, 809C) tient l'interprétation de quelqu'un d'autre.

zona aurea chorus sanctorum. Cf. HIPPOLYTE, *In Apoc.* (= DENYS BAR SALIBI, *In Apoc.* = *CSCO* 101, p. 4, 5) ; *In Dan.* 4, 37, 2 (*SC* 14, p. 338).

accincta pectori. *Accinctus* ne figure que chez Victorin et JÉRÔME, *In Ez.* 12 (40, 1-4) = *CC* 75A, p. 553, 131, et *In Zach.* 2 (8, 23) = *CC* 76A, p. 823, 639, où le texte est cité librement. Tous les autres textes ont *praecinctus* ou *cinctus* (cf. W-W). De même, *pectus* ne se trouve que chez JÉRÔME (*In Mc* 1, 1-12 = *CC* 78, p. 454, 19), ce qui laisse supposer une influence de notre texte sur le moine de Bethléem. *Mammae* : comme Cyprien, Irénée, Cassiodore ; ailleurs, on a *mamillae*. La variation *pectus / mammae* ne peut servir d'argument pour refuser à Victorin la paternité de *mammae* : Origène aussi passe d'un terme à l'autre dans le même texte et souligne que la signification des deux est identique (ORIG., *Hom. In Cant.* 1, 3 = *SC* 27, p. 76-78).

conflata conscientia. Sur ce sens de *conflata,* cf. *TLL,* s. v. *conflo,* c. 241, 24-32.

spiritalis sensus : sur le sens spirituel selon Victorin, cf. *VP,* p. 96-99. Cette expression typiquement origénienne ne se répand en Occident qu'au IV⁰ siècle (*VP,* n. II, 2, 78-79).

gladium bis acutum. Cette traduction se retrouve dans JÉR., *Epist.* 18A, 14 (éd. Labourt, p. 69, 14) ; 14, 2 (p. 35, 4) ; PAULIN N., *Epist.* 37, 4 (*CSEL* 29, p. 320, 7) ; ZÉN. *Tract.* 1, 37, 1 (*CC* 22, p. 107, 7). Les autres versions ont *ex utraque parte* ou *utrimque* (W-W). L'épée à double tranchant est une image de l'unité des deux Testaments : TERT., *Marc.* 3, 14, 3 (*CC* 1, p. 526, 12). L'épée sort de la bouche du Christ, car le Verbe est l'auteur de toute l'Écriture : cf. IRÉN., *Haer.* 5, 25, 5 (*SC* 153, p. 324, 116) et surtout *Haer.,* 4, 12, 3 (*SC* 100, p. 514, 48). Sur cette théologie de l'Écriture chez les anciens, voir *VP,* p. 89-92 ; 157-158.

gladius desertorem punit : la désertion entraînait la peine capitale : art. « Desertor », *PW,* c. 249-250 ; *DAGR,* s. v. *Desertor,* p. 110-111.

noua et uetera. Interprétation traditionnelle, antérieure à Victorin, de *Matth.* 13, 52. Cf. PS.-CLÉM., *Recogn.* 4, 5, 9 (*GCS* 51, p. 149, 14) ; IRÉN., *Haer.* 4, 9, 1 (*SC* 100, p. 476-478) ; 4, 9, 26 (p. 716). ORIG., *In Matth.* 10, 14-15 (*SC* 162, p. 194 s.) : particulièrement 10, 15 (p. 202). Sur les images des deux Testaments chez Victorin, voir *VP,* p. 90-91.

euangelica uerba = *uerba euangelii* (cf. TERT., *Res.* 24 = *CC* 2, p. 951, 20).

legis et prophetarum. Façon ancienne de désigner l'AT (*Act.* 13, 15 ; *Lc* 24, 27).

Vade ad mare — et pro te. Suppression de *tolle* et de *illum sumens*, comme dans le texte de *Matth.* 17, 26 cité par. AUG., *En. In Ps.* 137, 16 (*CC* 40, p. 1988). *Illum sumens* n'est pas traduit non plus dans la version latine de CHROM., *Serm.* 3 (*CC* 9A, p. 14, 39).

staterem, id est duos denarios. En fait, le statère vaut deux didrachmes, soit quatre drachmes, ou quatre deniers (*DAGR*, s. v. *stater*, p. 1464 ; *didrachma*, p. 167 ; *denarius*, p. 95 et 100 ; *PW*, s.v. *denarius*, c. 2010, 50). Sur cette image des deux Testaments et l'exégèse de *Matth.* 17, 26 chez Victorin, voir *VP*, p. 113.

Semel locutus — audiuimus. *Ps.* 61, 12 : première apparition de cette figure de l'unité des deux Testaments que reprendront d'autres auteurs : POTAM., *Subst.* (*PLS* 1, 209-210) ; AMBR., *In Ps.* 61, 33 (*CSEL* 64, p. 397, 5 s.) ; AUG., *En. In Ps.* 61, 18 (*CC* 39, p. 786) ; JÉR., *In Ps.* 61 (*CC* 72, p. 213, 7) ; *VP*, p. 89-90.

quia semel decreuit ab initio. Cf. JUST., *I Apol.* 1, 42 (éd. Pautigny, p. 84-85).

pro captu temporis. TERT., *Marc.* 2, 27, 8 (*SC* 368, p. 156, 68). OROS., *Hist.* 4, praef. 5 (éd. Lippold-Bartalucci, p. 256, 18 : « pro captu temporum » = « in rapporto alle circostanze »). Cf. *TLL*, s. v. *captus*, c. 381, 69.

5. **Aquae multae populi.** *Apoc.* 17, 15 ; *Is.* 8, 6-7 ; *Jér.* 47, 2. Souvent mentionné comme exemple d'interprétation claire donnée par la Bible elle-même : ORIG., *In Cant* 2 (*GCS* 3, p. 161, 22) ; PS.-CYPR., *Nouat.* 5 (*CC* 4, p. 141, 5s.).

demisit. Leçon de l'*Ottobonianus 3288 A*, confirmée par le ms. *F* de l'édition hiéronymienne ; le verbe est employé pour la pluie (VIRG., *Georg.* 1, 23). Victorin parle du baptême comme de l'effusion de l'Esprit-Saint (don, eau venue d'en haut, répandue), car, pour chaque homme, elle a lieu au baptême selon la théologie d'Irénée (G. AEBY, *Les missions de l'Esprit-Saint de Saint Justin à Origène*, Fribourg 1958, p. 62-64). La tradition a préféré corriger en *emisit*, qui signifie « répandre de l'eau en abondance » (*TLL*, s.

v. *emitto*, c. 504, 57s.) et est aussi utilisé métaphoriquement pour l'Esprit, y compris par Victorin (p. 78, 9).

praecepto. Ablatif absolu impersonnel suivi d'une complétive (ERNOUT-THOMAS, § 127 b). *Praecepto* renvoie à l'ordre de baptiser qu'on trouve dans *Matth.* 28, 19 et *Mc* 16, 15-16, mais se réfère à *Mc* 16, 16.

pedes eius ... Apostolos. B. KÖTTING, art. « Fuss », *RAC* 8, 1972, c. 722-743. Victorin dérive de CLÉM. A., *Paed.* 2, 62, 1 (*SC* 108, p. 126, 1-6).

conflato. Lecture confirmée par Césaire d'Arles, qui avait encore en mains l'édition originale de Victorin. On trouve *conflatos* dans plusieurs manuscrits hiéronymiens, ce qui correspond à une variante du texte grec (*VP*, p. 86) ; le sens est à vrai dire identique.

per quos ... ambulat praedicatio. Prosopopée de la prédication (de la parole) : *TLL*, s. v. *ambulo*, c. 1875, 6s.

anticipauit. *Anticipare* n'est pas un terme technique de la typologie ou de la prophétie ; l'idée d'anticipation reste vivante.

Adoremus. *Ps.* 131, 7 ; ce subjonctif n'a apparemment de correspondant que dans le texte de Clément d'Alexandrie précédemment cité.

ecclesiam confirmauerunt. Cf. *Act.* 15, 41 et 16, 5.

id est Iudeam. Leçon du manuscrit du Vatican, appuyée par le fait que dans *F* on a l'accusatif ; corrigé plus tard en *id est in Iudea* par la tradition hiéronymienne. Rassemblement eschatologique des chrétiens en Judée : c'est une croyance d'origine juive qui persiste chez les millénaristes chrétiens (*VP*, n. III, 4, 43-44).

6. Spiritus sanctus septiformis uirtutis. ORIG., *In Lev.* 8, 11 (*SC* 287, p. 66, 159). Les sept étoiles sont les sept dons de l'Esprit ; pour Victorin, ceci n'est pas contradictoire avec l'interprétation donnée par Jean lui-même (selon *Apoc.* 1, 20, les sept étoiles sont les anges des sept Églises) ; cf. *VP*, p. 159.

datus est in potestatem eius. L'Esprit-Saint est essentiellement Esprit du Fils chez Victorin. C'est une fois exalté que le Fils reçoit l'Esprit en plénitude pour le répandre, comme en *Jn* 7, 39. Sur la théologie de l'Esprit chez Victorin, voir *VP*, p. 243-245.

uidistis et audistis. Il y a un parallèle à ces parfaits, sans équivalents dans les manuscrits grecs, dans un manuscrit de la *Vetus Latina* de Cambridge selon Sabatier ; Haussleiter mentionne aussi dans son apparat critique (p. 27) un manuscrit et un lectionnaire donnant un texte semblable.

de mensura ... amat. Cette traduction *de* pour ἐκ ne se trouve que dans CYPR., *Epist.* 69, 14 (éd. Bayard, p. 249) ; Victorin a *amat* pour *diligit*, comme c'est parfois le cas dans la *Vetus Latina* : Cf. HIL., *In Matth.* 4, 27 (*TLL*, s. v. *amo*, c. 1952, 76 s.) ; NOVAT., *Trin.* 20, 8-9 (*CC* 4, p. 52, 36 s.) ; 29, 11 (p. 70, 55).

7. quod uni dicit, omnibus dicit. Principe herméneutique sans doute traditionnel, car on le retrouve dans IRÉN., *Haer.* 4, 12, 5 (*SC* 100, p. 520, 93) ; TERT., *Marc.* 5, 17, 1 (*CC* 1, p. 712, 12) ; AMBR., *Abr.* 1, 6, 55 (*CSEL* 32, 1, p. 538, 18).

uexillationi. Ce sont des détachements temporaires d'une légion ou d'un corps de cavalerie, qui voient leur rôle s'accroître à partir de Gallien. On les prélève sur des armées momentanément inactives pour les envoyer aux frontières menacées : ce fut certainement le cas à Poetovio au moins vers 258-262 (D. VAN BERCHEM, *L'armée de Dioclétien et la réforme constantinienne*, Paris 1952, p. 77 ; 81 ; 104).

septenatim. Hapax ; lecture de l'*Ottobonianus 3288 A*, confirmée par de nombreux manuscrits de la tradition hiéronymienne.

unam esse catholicam. *Catholicus* a son sens étymologique. Cf. *TLL*, s. v. *catholicus*, c. 617, 30 : *catholica* (substantivé) désigne l'Église (*VP*, n. III, 1, 87).

ut seruaret <ipse>. Même idée et même expression dans CYPR., *Quir.* 1, 20 (*CC* 3, p. 20, 25). L'idée que Paul a comme Jean écrit à sept Églises se rencontre aussi chez Hippolyte et dans le Canon de Muratori : HIPP., *In Apoc.* (DENYS BAR SALIBI, *CSCO* 101, p. 2,

34 ; P. Prigent, « Hippolyte... », p. 408-409) ; *Can. Mur.* (éd. Buchanan, p. 541, 17).

et ipsum = et idem (*TLL*, s. v. *ipse*, c. 307-308).

Romanos — Colossenses. L'ordre des Épîtres donné par le manuscrit du Vatican est confirmé par celui des témoins de la première édition hiéronymienne ; Jérôme n'avait donc pas cru opportun de modifier cet ordre qui n'est identique à aucun de ceux que nous connaissons (Cf. *VP*, p. 73-74).

aut quae sit. *I Tim.* 3, 15. Victorin, ou la version de la *Vetus Latina* qu'il utilise lisent ἤ τις au lieu de ἥτις, comme l'avait bien vu Haussleiter ; cette lecture est inconnue par ailleurs. Pour arriver à une liste de sept Églises, Victorin omet l'*Épître aux Hébreux*, pourtant expressément citée dans notre commentaire.

typum. Ce terme, fréquent en grec dès les origines pour exprimer la lecture chrétienne de l'AT, s'est répandu en latin dans le courant du IIIᵉ siècle. (*VP*, n. II, 2, 38).

per Esaiam praedicari. *Praedicare* peut avoir le sens de « prophétiser » : R. Braun, *Deus Christianorum*, p. 430-431. Sur *Is.* 4, 1 chez Victorin, Cf. *VP*, p. 122-123.

non ex semine natus. (Cf. *Jn* 1, 13) : façon de parler de la naissance virginale à époque ancienne ; cf. Just., *I Apol.* 32, 9 et 11 (éd. Pautigny, p. 64) : οὐκ ἐξ ἀνθρωπίνου σπέρματος ; *Dial.* 54, 2 ; 63, 2 ; 76, 2. Irén., *Haer.* 3, 16, 2 (*SC* 211, p. 294, 26) ; Tert., *Carn.* 17, 3 (*SC* 216, p. 280, 18) ; Hipp., *Antichr.* 8 (*GCS* 1, p. 9, 1 ; *CSCO* 16, p. 58) : « non ex semine genitum, sed per spiritum conceptum ».

tunicis suis uelatae. *Velatus* = « enveloppé » (Liv., *H. R.* 3, 26, 10).

improperium. Ce mot, remplacé par *opprobrium* chez Jérôme et l'Ambrosiaster, se trouve dans la *VL* (*Gen.* 30, 23, dans Lact., *I. D.* 4, 18, 32 = *CSEL* 19, p. 360, 2) ; c'est un emprunt à la langue populaire (premier exemple d'*improperare* chez Pétrone).

ut inuocetur nomen illius. *Jc* 2, 7 (Cf. *Am.* 9, 12) ; *Act.* 2, 38.

panem — in uitam aeternam. Allusion à *Jn* 6, 51, qui montre que
le pain est la figure de l'Esprit-Saint, parce que ce dernier nous est
communiqué par l'Eucharistie. Même image dans IRÉN., *Haer.* 4,
38, 1 (*SC* 100, p. 948) ; ORIG., *Hom. in Gen.* 16, 4 (*SC* 7, p. 382,
10 s.).

credulitatem. *Credulitas* = « professio fidei christianae » =
« fides » (*TLL,* s. v. *credulitas,* c. 1151, 41 s.).

cooperiri. Au sens de « revêtir », le verbe appartient à la langue
vulgaire (*TLL,* s. v. *cooperio,* c. 893, 12 s. : *VL,* Vulgate).

ait Paulus. *I Cor.* 15, 53, dans une traduction particulière où *fragilitas* rend τὸ φθαρτόν (Cf. *TLL,* s. v. *fragilitas,* c. 1229, 79 s.) et
inuiolantia traduit ἀφθαρσία (ce sens du mot est dérivé d'emplois
d'*inuiolatus* comme celui de TAC., *Agric.* 30).

peccatum pristinum. Le péché d'Adam (*VP,* n. IV, 2, 162).

8. **aut ad eos scripsit — aut arguit eos.** L'ordre du manuscrit du
Vatican est erroné ; c'est Jérôme qui a l'ordre correct, comme le
prouve l'ordre du commentaire dans la suite. Sur l'interprétation
des lettres aux sept Églises par Victorin, voir. *VP,* p. 161-165.

electionis. Les élus (ἐκλογή ; *TLL,* s. v. *electio,* c. 330, 35 s.).

operantur de frugalitate laboris sui. Expression difficile.
Frugalitas peut signifier une bonne récolte de fruits (*TLL,* s. v.
frugalitas, c. 1403, 10-12). Le *de* remplace probablement *in* ou *ad*
qu'on trouve avec *operari* à date tardive en latin (*TLL,* s. v. *ope-
ror,* c. 690, 82 ; 694, 14 s.).

dissipatores. CYPR., *Epist.* 55, 29, 3 (éd. Bayard, t. 2, p. 152) ; 41,
1 (t. 1, p. 102) : *dissipare ecclesiam.*

ne dispersio fait. *Dispersio* est l'équivalent de *dissipatio* (*TLL,* s. v.
dispersio, c. 1412, 49 s.).

portant illos. *Portare* = « supporter » (langue de la *Vetus Latina*) :
TLL, s. v. *porto,* c. 54, 50 s. Cf. AUG., *Cat. rud.* 17, 26 (*BA* 11, 1,
p. 142).

inlicita peccata. « Abominables » (*TLL,* s. v. *illicitus,* c. 375, 77).

arcana praedicationis. Ironique ; ils prétendent à une connaissance ésotérique, comme les gnostiques de TERT., *Praescr.* 22, 3 (*SC* 46, p. 115, 14).

II

1. **patientiam.** Comme dans le *Gigas,* Augustin et la Vulgate (Primase a *tolerantia*).

debitis sibi bonis. L'idée n'est pas très biblique (on parlerait plutôt de biens promis). Cf. toutefois IGN., *Polyc.* 6, 2 (*SC* 10, p. 152).

usque ad nouissimum. Insistance sur la nécessité de persévérer jusqu'au bout, comme dans CLÉM. R., *Cor.* 41, 4 (*SC* 167, p. 168-169) ; BARN., *Epist.* 4, 9b (*SC* 172, p. 100).

principale mandatum. Cf. *Matth.* 22, 38 (*primum*) ; on a généralement *maximum et primum.*

spargere plebem. Image du troupeau éparpillé (*Matth.* 26, 31) : CYPR., *Epist.* 73, 15 (éd. Bayard, p. 271) ; *Carmen adu. Marc.* 2, 141 (*CC* 2, p. 1430). L'origine de l'expression est sans doute *Matth.* 12, 30 : CYPR., *Epist.* 43, 5, 2 ; 75, 14, 2 (p. 107 et 300).

opera Nicolaitarum. Sur les nicolaïtes, voir E. AMMAN, art. « Nicolaïtes » , *DTC* 11[1], 1931, c. 499-506 ; P. PRIGENT, « L'hérésie asiate et l'Église confessante... », *VChr* 31, 1977, p. 10-20 ; F. BOLGANI, « La polemica di Clemente Alessandrino contro gli gnostici libertini nel III libro degli *Stromati* », *Studi e Materiali di Storia delle Religioni* 38, 1967, p. 86-136. Les accusations ici formulées contre les nicolaïtes découlent d'un amalgame entre *Apoc.* 2, 6 et *Apoc.* 2, 14.20.

fecerant sibi heresin. *TLL,* s. v. *haeresis,* c. 2501, 62 s. ; cf. TERT., *Praescr.* 6, 2 (*SC* 46, p. 94, 8-10), qui se sent obligé d'expliquer cet hellénisme. Même expression dans CYPR., *Epist.* 44, 2 (éd. Bayard, p. 111, 20), où c'est de schisme qu'il s'agit. Le mot demeure rare avant le IVe siècle.

ut delibatum exorcizaretur. Selon Victorin, les nicolaïtes mangeaient les viandes consacrées aux idoles après un rite destiné à chasser les démons des viandes qui leur avaient été consacrées ; ce détail est absent des autres notices sur les nicolaïtes. Sur le vocabulaire employé, voir *VP*, n. I, 3, 73.

quicumque fornicatus esset — pacem acciperet. *Pacem accipere* : être réconcilié avec l'Église (*VP*, n. IV, 1, 35 et p. 47-48). Victorin est le seul à parler du laxisme des nicolaïtes en ce qui concerne la pénitence (huit jours est un délai ridiculement court).

talibus = *iis* ; Cf. A.J. VAN KATWIJK, *Lexicon Commodianeum,* ad uerbum. COMM., *Instr.* 2, 28, 14, etc.

2. **detractationem de Iudeis** = *detractatio Iudeorum,* comme dans COMM., *Carm.* 689). *Detractatio,* ou *detrectatio,* mais les deux mots ont le même sens (*TLL,* s. v. *detrectatio,* c. 834, 44).

synagogam Satanae. *Synagoga* est mis en rapport avec *colligi* : le sens premier du mot est encore sensible, comme dans CYPR., *Epist.* 75, 14, 2 (éd. Bayard, p. 300) : « synagoga haereticorum » . Sur la collaboration des juifs avec l'Antéchrist dans les derniers temps selon Victorin, voir *VP*, p. 223.

3. **Balaam — fornicari.** Le texte de la *Vetus Latina* ici utilisé a des accointances avec celui de l'Ambrosiaster (*Quaest.* 102, 18 = *CSEL* 50, p. 213, 18-21) : *delibata (= idolothyta) ; sub oculis* (VICT. : *ante oculos*). Lecture de *Nombr.* 31, 6 et 25, 1-2 à travers une tradition midrashique (STRACK-BILLERBECK 3, 793) ; P. PRIGENT, *L'Apocalypse,* p. 52, n. 10-11.

sub praetextu misericordiae. CYPR., *Laps.* 15 (*CC* 3, p. 229, 289), insiste lui aussi sur l'idée que ceux qui agissent ainsi le font *sub misericordiae titulo,* mais que la vraie miséricorde est exigeante. Cf. aussi CYPR., *Epist.* 34, 1 et ORIG., *In Jos.* 7, 6 (*SC* 71, p. 209-215 ; Introduction p. 269).

de manna absconsum. Il y a deux exemple de *de* + acc. chez COMMODIEN (*Carm.* 708 et 932) ; la préposition *de* exprime le partitif comme dans COMM., *Instr.* 2, 4, 8 ; 2, 18, 4. *Absconsus* est une forme fréquente à date tardive (COMM., *Carm.* 101 ; 671), mais déconseillée par les grammairiens qui préfèrent *absconditus (TLL,* s. v. *abscondo,* c. 153, 19 s.). La manne est ici l'équivalent du fruit de l'arbre de vie ; Victorin n'use pas de l'interprétation eucharistique attendue.

gemma alba adoptio est. La pierre blanche d'*Apoc.* 2, 7 est devenue pierre précieuse (*VP,* p. 162-163). La manne, la gemme, le nom, tout est compris par Victorin des biens promis à l'homme au baptême.

nomen nouum christianum est. HIPP., *In Dan.* 4, 9, 2 (*GCS* 1, p. 278, 6).

4. **operantium.** *Operari* au sens d'accomplir de bonnes œuvres : CYPR., *Laps.* 36 (*CC* 3, p. 241, 708).

faciles. Sur ce sens et la *facilitas* de certains confesseurs, voir *VP,* n. IV, 1, 37.

nouas prophetias. *Noua prophetia* désignait le montanisme (cf. P. DE LABRIOLLE, *La crise montaniste,* Paris 1913, p. 17 ; 130, n. 1 et 323). Ici, l'expression paraît simplement désigner des phénomènes charismatiques.

non mitto super uos aliud pondus. *Mitto,* au présent, avec le grec, comme le *Gigas,* l'Ambrosiaster, alors que Tyconius., Primase, et la Vulgate ont le futur). *Apoc.* 2, 24 est interprété à travers *Act.* 15, 38.

III

1. **opere inanes.** *Inanis* est rare avec l'ablatif (*TLL,* s. v. *inanis,* c. 824, 33 s.) ; HIL., *In Matth* 11, 4 (*SC* 254, p. 256, 10).

stabili. Les autres témoins de la *Vetus Latina* ont tous *confirma* comme la Vulgate.

arborem uiuere <et uirere>. Cf. ORIG., *In Matth* 16, 27 (*GCS* 40, p. 567, 13 s.) : le figuier stérile est le symbole des gens qui ont *fidei* *nomen* et donnent apparemment l'impression d'être vivants, mais qui en réalité ne portent pas de fruit.

christianum dici ... opera non habere. Ceux qui n'ont de chrétien que le nom, selon une expression ancienne (*VP*, n. III, 1, 111).

2. **humiles in saeculo.** Victorin comprend *Apoc.* 2, 6 au sens concret.

fidem immobiliter tenent. AUG., *Cat. rud.* 25, 47 (*BA* 11, 1, p. 206) : « per immobilem fidem« ; cf. *I Cor.* 15, 58 et *Col.* 1, 23.

uerbum patientiae. Comme le *Gigas.* et la Vulgate ; Primase a *tolerantia* et l'on trouve aussi *sustinentia* (VOGELS, p. 166 ; 154 ; 179).

de hora temptationis. *Gigas* ; toutes les autres versions ont *ab*.

huius modi = *tales*, comme déjà chez Tertullien et Cyprien.

in templo Dei. La Vulgate a, selon le grec, « in templo Dei mei » ; même omission dans des manuscrits de la *Vetus Latina* (*Colbertinus* et *Sangallensis*).

3. **opera ... uacantes.** Probablement accusatif de relation plutôt qu'ablatif d'*opera, ae*, pris au sens d'*opus*.

ad omnes enim omnia. Reprise ironique de *I Cor.* 9, 22.

calidus. Le mot se trouve dans d'autres versions latines, surtout européennes. Une autre traduction (celle de Tyconius sans doute) avait *feruens* (Primase, Césaire, Beatus et plusieurs manuscrits de l'édition hiéronymienne).

consulo. *Gigas,* Ambroise, Priscilllien (*suadeo* dans la vieille version africaine).

conflatum. Cette traduction n'a d'équivalent nulle part ; tous les témoins ont *igne probatum* ou *ignitum*.

sedere super solium iudicii. Ce n'est pas une citation, mais déjà une interprétation, comme p. 64, 1 (§ 2). Le grec porte en effet καθίσαι μετ' ἐμοῦ ἐν τῷ θρόνῳ μου.

IV

1. ostium — praedicationem. Cf. CHROM., *Serm.* 1, 5 (*SC* 154, p. 130, 93-95) : « Euangelica praedicatio caeli porta est, quia per eam nobis ascensus ad regna caelorum est. »

cum corpore in caelis ... ascendit. L'insistance sur le fait que le Christ remonte aux cieux avec son corps d'homme, ce qui rouvre à l'homme le Royaume, est irénéenne : IRÉN., *Haer.* 3, 16, 18 (*SC* 211, p. 320, 279) et *Dem.* 38 (*SC* 406, p. 136). Cf. aussi CHROM., *Serm.* 1, 5 (*SC* 154, p. 130, 97-101) ; ZÉN., *Tract.* 1, 37 (*CC* 22, p. 104, 134). Sur la théologie de l'Ascension chez Victorin, voir *VP*, p. 232 (n. 116) et 249.

contumaces = « incrédules » (*TLL*, s.v. *contumax*, c. 798, 18 s.).

aedificatus erat. Sur le sens du mot dans le christianisme, cf A. THIBAUD, art. « Édification », *DSp* 4¹, 1960, c. 285-286.

in similitudinibius praenuntiata erant. Sur *praenuntiare* et *similitudo* (dont on n'a qu'un exemple chez Cyprien), voir *VP*, n. II, 2, 35.

coniungit. On trouve souvent chez Irénée l'expression *initium fini coniungere* pour parler de la récapitulation : IRÉN., *Haer.* 3, 22, 3 (*SC* 211, p. 438, 45) ; 4, 34, 4 (*SC* 100, p. 858, 106). Pour Victorin, l'*Apocalypse* « récapitule » l'Écriture (*VP*, p. 103-104).

adaperit scripturas. *Lc* 24, 32 et 45 : « tunc *aperuit* illis *sensum* ut intellegerent scripturas ». IRÉN., *Haer.* 3, 17, 2 (*SC* 211, p. 330, 27) : « ...ad introitum uitae et adapertionem Noui Testamenti » ; ORIG. *Princ.* 2, 7, 4 (*SC* 252, p. 334, 125).

Spiritum Sanctum effudit. Cf. *Act.* 2, 33 et *Tit.* 3, 6 (reprise de *Joël* 3, 1 selon LXX). *Barn.* 1, 3a. IRÉN., *Haer.* 3, 11, 9 (*SC* 211, p. 172, 247).

qui laturus est hominem ad caelum. La leçon *ferturus*, adoptée par Haussleiter, est un vulgarisme qui ne figure que dans deux manuscrits hiéronymiens et n'est imputable ni à Victorin ni à Jérôme. L'Esprit fait monter au ciel : IRÉN., *Haer.* 3, 19, 1 (*SC* 211,

p. 372, 16) ; 3, 24, 1 (p. 472, 21) ; *Dem.* 45 (*SC* 406, p. 148) ; Ps.-Cypr., *Centes.* (*PLS* 1, 63).

2. **significanter.** Cf. Irén., *Haer.* 5, 17, 4 (*SC* 153, p. 230, 76) : « per Helisaeum prophetam significanter ostensum est ».

solium ... sedes iudicii et regis. Trône des rois, du patron ou du jurisconsulte (*DAGR*, s. v. *solium,* c. 1391). Sur le tribunal du Christ, cf. *Rom.* 24, 10 ; *II Cor.* 5, 10.

iaspis aquae. Sur la symbolique de ces pierres, fonction de la couleur que leur attribuaient les anciens, voir *VP,* p. 169.

haec duo testamenta. Le mot *testamentum* était remplacé par *iudicium* dans d'autres familles de manuscrits de l'édition originale de Victorin, car on le trouve non seulement chez Jérôme, mais aussi chez Césaire d'Arles (*In Apoc.,* éd. Morin, p. 214, 21 — 215, 3). *Testamentum* peut avoir le sens de décret ou de loi (*Sir.* 14, 2 ; *Act.* 7, 8) et de testament (Blaise).

consummationem orbis. *TLL,* s. v. *consummatio,* c. 597, 55 s. On trouve généralement *consummatio mundi, saeculi.* Mais *orbis* signifie aussi l'univers (*TLL,* s. v. *orbis,* c. 914, 44).

quorum iudiciorum duorum. Sur les deux jugements, par l'eau et par le feu, cf *II Pierre* 3, 6-7 ; Just., *II Apol.* 7 (*PG* 6, 456) ; Tert., *Bapt.* 8, 5 (*CC* 1, p. 283, 27). Voir J. Daniélou, *Sacramentum futuri,* Paris 1950, p. 62-64.

cataclismo. *TLL,* s. v. *cataclysmus,* c. 587, 36 s. ; 58 s. Le mot est souvent l'équivalent de *diluuium* chez les Pères.

iris. Hellénisme fréquent en latin (*TLL,* s. v. *iris,* c. 378, 38 s.) ; expression de la langue courante selon Jér., *In Ez.* 1 (1, 28) = *CC* 75, p. 24, 629 : « (arcus) quae uulgo iris dicitur ». Ambr., *Noe* 103-104 (*CSEL* 32, 2, p. 484, 4 s.) : « arcum hunc irim quidam appellant ».

ardentem colorem habet. Notation étrange (Jérôme a modifié le texte), sauf si Victorin a en tête la pierre précieuse qu'est l'iris plutôt que l'arc-en-ciel (cf. Pline, *H. N.* 37, 91, qui parle des *ardentes gemmae*).

inrigationem aquae. Le mot est parfois utilisé pour le déluge (*TLL*, s. v. *irrigatio*, c. 417, 61).

paenitentiae tempore. L'idée du retard de la Parousie en vue du repentir repose sur le parallèle avec le déluge (*VP*, n. III, 2, 18).

simile cristallo. Le cristal de roche n'est pas toujours nettement distingué de la glace par les anciens (*VP*, p. 169).

profluuio defluentem. *Lectio difficilior.* Comment comprendre ? *Pro fluuio* (Haussleiter), c'est-à-dire « coulant comme un fleuve » (avec un emploi abusif de *pro*), ou « coulant en raison d'un courant » ? *Profluuium* existe (écoulement abondant), mais il paraît réservé aux écoulements corporels. *Profluuio* est peut-être ici un adverbe, correspondant à l'adjectif *profluuius* (= peu stable, inconstant).

tamquam donum Dei immobilem. *Immobilis* est utilisé par les philosophes et les chrétiens pour parler de l'immuabilité divine : R. BRAUN, *Deus Christianorum*, p. 57.

3. **<ἅγιος, ἅγιος, ἅγιος>.** Haussleiter a restitué à juste titre le trisagion dans le texte de Victorin ; il faut même le faire en caractères grecs, comme le prouve le témoignage de l'édition hiéronymienne. Hellénisme connu de tous à date ancienne (*TLL*, s. v. *hagios*, c. 2513), et qui nous renvoie à la liturgie de Poetovio de la fin du IIIe siècle ; aussi l'avons-nous rendu par « sanctus », par allusion à une langue liturgique encore proche de nous.

habentes tribunalia XXIIII. Victorin rend θρόνος tantôt par *solium* (*Apoc.* 3, 21 ; 4, 2 ; etc.), tantôt par *tribunal* (*Apoc.* 4, 4 et 5, 1).

libri <sunt> prophetarum et legis. Même interprétation p. 70, 4-5 ; exégèse reprise par *Carm. adu. Marc.* 4, 198-204 (*CC* 2, p. 1447). Les anciens dénombraient 22 ou 24 livres de l'AT ; Victorin en compte 24 (*VP*, p. 69-71).

duodecim apostoli et duodecim patriarchae. Les deux groupes sont déjà rapprochés par Irénée : interprétation de l'*Apocalypse* par le rapprochement de *Matth.* 19, 27-28 et de *Gen.* 49, 16 (*VP*, p. 169-170 ; 116-117 ; n. II, 2, 30).

4. **Simile leoni...** Sur l'interprétation des quatre animaux, inspirée d'IRÉN., *Haer.* 3, 11, 8 (*SC* 211, p. 160-170), voir *VP*, p. 71-72 ; 170-171. Jérôme lui a substitué la répartition des animaux qui prévaudra par la suite en Occident.

cata Iohannem. Hellénisme probablement véhiculé par la liturgie : *TLL*, s. v. *cata*, c. 585, 23 s.

antequam descenderet. Formule johannique : *Jn* 3, 13 ; 6, 38.

carnem sumeret. L'expression fait aussi partie du vocabulaire de l'Incarnation chez Tertullien : R. BRAUN, *Deus Christianorum*, p. 310.

ab Abraham — ad Ioseph. Victorin évacue un des trois groupes de quatorze personnages (Matthieu compte 2x14 : de David à l'exil, puis de l'exil à Joseph), adoptant la schématisation de *Matth.* 1, 1 (fils de David, fils d'Abraham).

offerentis hostiam. Selon *Lc* 1, 9, le prêtre doit faire brûler l'encens ; on se représente ici les fonctions du prêtre juif à la lumière d'*Hébr.* 7, 27 ; même chose dans IRÉN., *Haer.* 3, 11, 8 (*SC* 211, p. 166, 206 s.), où le traducteur latin a rendu θυμιόω par *sacrificare*.

enumerat. Au sens de « raconter » (*TLL*, s. v. *enumerare*, c. 618, 53) dans la *Vetus Latina* et la Vulgate.

conscriptio. Sur ce sens, cf. *TLL*, s. v. *conscriptio*, c. 377, 20 s.

Marcus interpres Petri — non ordine. Victorin utilise ici non seulement IRÉN., *Haer.* 3, 1, 1 ; 3, 10, 6 (*SC* 211, p. 22, 20 ; 134, 175), mais sa source, où il a trouvé l'idée exprimée par *non ordine* : Papias (cf. EUS., *HE* 3, 39, 15 = *SC* 31, p. 155), ou les *Epitomae* de Théodore précédemment mentionnés.

commemoratus. Sens moyen (= *mentionem facere*) : *TLL*, s. v. *commemorare*, c. 1835, 56.

filii Dei. Cette variante n'est pas attestée dans les manuscrits de *Matth.* 1, 1, mais elle figure dans plusieurs exemplaires grecs et latins de *Mc* 1, 1 : P. LAMARCHE, « "Commencement de l'Évangile de Jésus-Christ Fils de Dieu" (Mc 1, 1) », *NRT* 92, 1970, p. 1032-1033.

aduolante Spiritu. IRÉN., *Haer.* 3, 11, 8 (*SC* 211, p. 166, 214 et p. 164, 196).

fert easdem imagines. *Ferre* au sens d'*exhibere* (*TLL*, s. v. *fero*, c. 528, 52). IRÉN., *Haer.* 3, 11, 8 (*SC* 211, p. 162, 189) ; cf l. 191 et 222 (lion) ; l. 194 et 224 (homme) ; l. 192 et 223 (veau) ; l. 195 et 225 (aigle).

tamquam leo. Chez Irénée, il ne représente que la royauté ; pour Victorin, à la lumière de *Gen.* 49, 9-12, il évoque la mort et la résurrection du Christ.

ascenderit in caelis extendens alas suas. Transformation de l'image irénéenne (IRÉN., *Haer.* 3, 11, 8 = *SC* 211, p. 168, 226 : « protegens nos alis suis »). Pour Victorin, le vol de l'aigle figure l'ascension du Christ ressuscité comme chez HIPPOLYTE : *In Prov.* (éd. Richard, *Le Muséon* 79, 1966, p. 86, 6).

protegens plebem suam. Selon Irénée, c'est le Christ donnant aux hommes l'Esprit-Saint qui les protège du mal : IRÉN., *Haer.* 3, 17, 3 (*SC* 211, p. 336, 66).

sicut fluuius in paradiso. Emprunt non à Irénée, mais à HIPPOLYTE (*In Dan.* 1, 8 = *SC* 14, p. 105) ; pour le texte grec, voir M. RICHARD, « Les difficultés d'une édition du Commentaire de Saint Hippolyte sur Daniel », *RHT* 2, 1972, p. 10, 6. Sur la diffusion de cette image, voir *VP*, n. V, 2, 109.

5. **oculos autem intus et deforis.** *Apoc.* 4, 6 et 4, 8 ; variante existant dans le ms. grec O *46* en *Apoc.* 4, 8 : κυκλόθεν καὶ ἔξωθεν καὶ ἔσωθεν (W. BOUSSET, *Die Offenbarung Johannes,* Göttingen 1896, p. 295).

praedicationem. Le mot signifie à la fois la prédication, la prophétie et l'enseignement : R. BRAUN, *Deus Christianorum,* p. 430-434.

prouidentiam. Prescience divine : R. BRAUN, *Deus Christianorum,* p. 133-139.

secreta cordis. Les ailes couvertes d'yeux des animaux évoquent la prescience de Dieu : *Sir.* 42, 16-20 (*VP*, p. 172).

superuenientia. Peut-être allusion à *Jn* 16, 13, ainsi traduit chez Tertullien : « et superuenientia renuntiabit uobis » (*Virg.* 1 = *CC* 2, p. 1209, 34).

testimonia ueteris testamenti. Il s'agit des textes de l'Ancien Testament qui sont prophétie du Nouveau (cf *Rom.* 3, 21 : « La justice de Dieu a été manifestée ; la Loi et les prophètes lui rendent témoignage ». Sur ce sens, voir *VP*, n. II, 2, 48-49.

quod ante dictum est — fidem facit indubitabilem. Argument apologétique de l'accomplissement des prophéties : *VP*, p. 93-94.

in epitomis Theodori. Les « résumés » de Théodore (*TLL*, s. v. *epitome*, c. 692, 36 s.) ; l'auteur est inconnu (*VP*, p. 271-272).

cum sederit filius hominis. *Matth.* 19, 27-28 ; la traduction de Victorin distingue le *solium Dei* des *tribunalia* des douze, alors que le grec a θρόνος partout. On se représente les douze comme les magistrats du Dieu unique.

Et ipse iudicabit. Texte particulier de *Gn* 49, 16, où manque le nom de Dan (il sera introduit par Jérôme). *Et ipse,* sans correspondant dans le texte hébreu et dans la Septante, pourrait indiquer que la *VL* de Victorin dérive d'une ancienne traduction qui a vu en Dan non pas le nom propre du patriarche, mais un infinitif construit à valeur emphatique du verbe hébreu *din*, « juger ».

6. **fulgora aduentum Domini.** Cf. Hipp., *In Matth* 24 A (*GCS* 1, 2, p. 204, 6 s.) : version éthiopienne.

uoces. Hébraïsme (*qolot*) ; cf *Ex.* 19, 19.

faces. Même traduction de λάμπαδες dans *Fabr.* 8 (p. 146, § 8, 1.2) et tout au long du *De X uirginibus* pour les lampes des dix vierges. Les sept lampes figurent l'Esprit-Saint, comme les sept étoiles, comme le chandelier à sept branches, qui dans l'antiquité porte sept lampes.

cum in ligno perdiderit — est redditum. Parallèle antithétique analogue dans IIRÉN., *Haer.* 5, 17, 4 (*SC* 153, p. 232, 85-87) ; TERT., *Iud.* 13, 19 (*CC* 2, p. 1388, 109). Pour Victorin, l'homme semble avoir perdu l'Esprit-Saint lors de la chute ; mais il faut se garder de trop presser une unique formule : certains passages d'Irénée laissent la même impression, alors que sa pensée est plus complexe (*VP*, n. III, 2, 54 ; cf. A. D'ALÈS, « La doctrine de l'Esprit en Saint Irénée », *RSR* 12, 1932, p. 512-514).

7. **maiores natu.** πρεσβύτεροι a été traduit plus haut par *seniores* (p. 66, 7 (§ 3) ; 70, 6).

exultabant. Cf. *Jn* 4, 36, selon l'interprétation d'IRÉN., *Haer.* 4, 25, 3 (*SC* 100, p. 710, 49 s.).

uerbum ... ministrasse. *Lc* 1, 2 ; *ministrare* au sens de *tradere*. (*TLL*, s. v. *ministrare*, c. 1023, 11). L'idée que les prophètes étaient déjà des serviteurs de l'Évangile est dans *I Pierre* 1, 12.

suppleuit Spiritus ostendendo. Le manuscrit *A* porte *Christus,* contre toute la tradition hiéronymienne : mélecture probable d'une abréviation, très aisée dans certains types d'écriture. *Suppleo,* qui peut signifier « compléter », a parfois voulu dire « accomplir » (BLAISE : *Matth.* 13, 35, *Vetus Latina*) ; mais *dicendo* donné par le ms. *A* fait problème, car il ne s'agit pas dans le texte d'un discours du Christ. L'édition hiéronymienne porte *ostendendo* qui semble préférable.

cum enim ... ueniret Hierosolymis. Pour Victorin, l'épisode de l'entrée à Jérusalem, proche du récit de la Passion, manifeste la royauté du Christ (*VP*, p. 127-128 et 174).

in obuiam = *in occursum.* Nombreux exemples dans la *VL* (*TLL*, s. v. *obuiam*, c. 316, 60 s.).

praecisis ramis palmarum. Insertion d'un détail de *Jn* 12, 13 dans le texte synoptique, comme dans AMBR., *In Lc* 9, 8, 13 (*SC* 52, p. 145) : « insignia triumphorum ».

palma autem idem significat : J. DANIÉLOU, *Les symboles chrétiens primitifs*, Paris 1961, ch. I.

V

1. **scriptum deintus.** La suite de l'interprétation de Victorin ne faisant aucune allusion à *foris*, on peut penser que l'omission du mot dans le ms. *A* n'est pas fortuite (Jérôme a rétabli le texte reçu).

uetus testamentum. Même interprétation dans HIPP., *In Dan.* 4, 34, 8 (*SC* 14, p. 310-311 ; P. PRIGENT, « Hippolyte... », p. 401) ; pour Origène, le livre représente toute l'Écriture (*VP*, p. 176-177).

praeconauit. Actif ou déponent, ce verbe tardif (équivalent de κηρύσσειν : cf. R. BRAUN, *Deus Christianorum*, p. 434, n. 6) apparaît après Tertullien : LACT. *I. D.* 1, 4, 3 (*CSEL* 19, p. 12, 2) etc.

tamquam occisum. Ailleurs, ὡς est traduit par *quasi* (*VP*, n. II, 1, 182).

In illum erat praedicatum. C'est l'idée exploitée systématiquement par ORIGÈNE (*In Lev.* 3, 5 = *SC* 286, p. 142, 5-9).

lex ... meditata fuerat. *Meditari* au sens de « préfigurer » (*TLL*, s. v. *meditari*, c. 580, 21 s.) ne se trouve pas avant Victorin (*VP*, n. II, 2, 42 ; I, 4, 24).

ipsum implere oportebat. L'accomplissement est rendu chez Victorin par *implere* (p. 74, 14), fréquent, ou *replere* (p. 76, 24) ; cf. COMM., *Carm.* 225 ; *TLL*, s. v. *impleo*, c. 637, 44 s.

testator ... heredem. Cf. *Hébr.* 1, 2.

substantiam morientis. IRÉN., *Haer.* 5, 9, 4 (*SC* 153, p. 118, 15).

2. **collaudant.** *Gen.* 49, 8 ; le verbe, donné par le seul ms. *A*, existait dans des traductions du Nord de l'Italie (*VP*, n. II, 1, 93 ; p. 56-57 ; 120).

tamquam agnus. *Is.* 53, 7 ; la *VL* a presque toujours *ouis*, mais Victorin adapte le verset au contexte dans lequel il l'utilise. *Occisionem* : mot tardif fréquent dans la *VL* en *Is.* 53, 7 (*TLL*, s. v. *occisio*, c. 357, 52 s.).

praeuenit carnificis officium. TERT., *Apol.* 21, 19 (éd. Waltzing, p. 51) : « praeuento carnificis officio ».

resignat. Sur la signification du sceau chez les anciens, voir ORIG., *In Rom.* 4, 2 (*PG* 14, 967 D) ; cf. *VP*, p. 95 et n. II, 2, 69.

uelauit faciem suam. Interprétation chrétienne d'*Ex.* 34, 33 à la lumière de *II Cor.* 3, 13-16 ; elle est courante chez ORIGÈNE et ici directement inspirée par lui (*In Ez* 14, 2 = *GCS* 33, p. 452, 8 s., qui commente *Apoc.* 5, 2-5 ; cf. *VP*, p. 95 et 109).

lana sucida. Hapax dans les traductions d'*Hébr.* 9, 19 (ou *Ex.* 24, 8), où l'on a *coccinea* (*VP*, n. II, 1, 126). Le mot désigne la laine brute (empreinte de suint), ou encore humide (TERT., *Bapt.* 3, 5, *CC* 1, p. 279, 28) : d'où peut-être ici, par extension, « teinte ».

sanguine uituli. Contamination d'*Ex.* 24, 5-8 et *Hébr.* 9, 18-20, comme le prouve l'absence de la mention des boucs.

mandauit ad uos. Langage juridique des testaments (*TLL*, s. v. *mandare*, c. 263, 45 ; 267, 1).

Nulla lex testamentum dicitur. Sur cette métaphore juridique et son succès chez les auteurs postérieurs, voir *VP*, p. 175-177 ; 317 ; 306.

modo = « maintenant » : *TLL*, s. v. *modo*, c. 1313, 67.

confregit mortem. L'expression ne se trouve guère ailleurs, et elle présuppose probablement l'image des chaînes de la mort qu'on a dans IRÉN., *Dem.* 31 (*SC* 406, p. 128), d'ailleurs évoquée par *liberauit* ; cf. *Hébr.* 2, 15 et IRÉN., *Haer.* 3, 23, 7.

accepit possessionem ... membrorum humanorum. IRÉN., *Haer.* 5, 9, 4 (*SC* 153, p. 118, 72 s.).

sicut per unum — resurgent. *Rom.* 5, 12 ; *I Cor.* 15, 21-22 (contamination des deux textes). Parallèle antithétique des deux Adam, déjà exploité par IRÉN., *Haer.* 5, 12, 3 (*SC* 153, p. 150, 4) ; *Dem.* 31 (*SC* 406, p. 128) ; TERT., *Marc.* 5, 9, 5 (*CC* 1, 689, 10).

debito mortis. Sur cette expression chez Victorin et dans le christianisme ancien, voir *VP*, n. III, 4, 36 ; IV, 2, 161.

successerant. Cf. TERT., *Apol.* 27, 6 (éd. Waltzing, p. 67) : « condicioni suae parere et succedere » (où certains manuscrits ont la variante *succiderant,* qu'on trouve aussi dans la tradition hiéronymienne de notre texte).

apocalypsis reuelatio. Le mot *apocalypse* garde son sens de révélation chez JUST., *Dial.* 81, 4, ; pour TERT., *Marc.* 4, 5, c'est déjà le titre de l'opuscule johannique (en *Scorp.* 12 il joue sur les deux sens du mot).

Christi mandata. Les fonctions de l'Oint, c'est-à-dire du grand prêtre (Cf. p. 82, 11-13). *Christus* est courant dans la *Vetus Latina* au sens premier d'oint (*TLL,* s. v. *christus,* c. 1028, 62 s.). Jérôme a corrigé en *chrisma* .

3. **canticum nouum.** Portion de texte conservée par Jérôme et déjà restituée à Victorin par Haussleiter. Le cantique nouveau signifie traditionnellement la vie selon l'Évangile : IRÉN., *Haer.* 4, 9, 1 (*SC* 100, p. 479, 17 s.) ; ORIG., *In Reg.* 1, 9 (*GCS* 33, p. 16, 26 s.) ; *In Ex.* 5, 5 (*SC* 321, p. 166, 31-32).

confessionem suam. Sens plus proche de « Symbole », comme plus tard chez AUGUSTIN (*Enchir.* 96), que de « confession de foi devant les autorités païennes » (*TLL,* s. v. *confessio,* c. 190).

Nouum est — repromissionis. Deux groupes de quatre articles qui paraissent s'inspirer d'une formule de foi. Sur le Credo de Victorin, voir *VP,* p. 231-233.

cum corpore in caelis ascendere. L'insistance « cum corpore » est rare dans les Symboles (*VP,* n. IV, 1, 116).

remissionem peccatorum. Sur l'intégration de cette notion dans le Credo, voir J.N.D. KELLY, *Early Christian Creeds,* Oxford 1972 ³, p. 82 et 94 ; CYPR., *Epist.* 69, 7 (éd. Bayard, p. 244).

Spiritu Sancto signari. Cf. *Éphés.* 1, 13 et 4, 30 ; pour l'image du sceau, voir *VP,* n. IV, 1, 120-122.

sacerdotium ... obsecrationis. *Obsecratio* désigne la prière d'intercession : *TLL,* s. v. *obsecratio,* c. 174 (nombreux exemples dans la Vulgate). L'idée que le chrétien est prêtre parce qu'il offre à Dieu le sacrifice de la prière est dans TERT., *Orat.* 28, 3 (*CC* 1, p. 273, 8) ; mais c'est chez Origène que, plus précisément, le sacerdoce des fidèles est assimilé à la prière d'intercession : ORIG., *In Num.* 10, 2 (*SC* 29, p. 194) ; 9, 5 (p. 175) ; *In Lev.* 6, 6 (*SC* 286, p. 296, 84) ; *VP*, p. 233.

nouum — repromissionis. TERT., *Praescr.* 13, 4 (*CC* 1, p. 197, 10) : « nouam promissionem regni caelorum ».

Cithara. Analogie entre l'instrument à cordes et le corps humain du Christ, comme dans CLÉM. A., *Protr.* 1, 5, 4 (*SC* 2, p. 58) ; mais la cithare comme figure du Christ en croix se trouve ici pour la première fois (*VP*, p. 178).

corpus Christi — coniunctam. Rétablissement du texte d'après les manuscrits hiéronymiens, où l'on trouve aussi « id est ».

fiala. La coupe rappelle le calice eucharistique, et donc évoque le sacerdoce nouveau.

eliberationis. Mot parfois utilisé par la *VL* pour la rédemption : *TLL*, s. v. *eliberatio*, c. 365, 36.

VI

1. **apertio ... ueteris testamenti.** Sur le sens de l'expression (= ouvrir le sens de l'Écriture), voir *VP*, p. 95 ; n. II, 2, 73 et 82.

   hoc enim in primo. Sens très affaibli de l'adverbe : *TLL*, s. v. *enim*, c. 572, 61 s.

   emisit Spiritum Sanctum. Cf. *VP*, n. IV, 2, 116. Le cavalier blanc est l'Esprit-Saint selon Victorin, le Christ pour IRÉN., *Haer.* 4, 21, 3 (*SC* 100, p. 680, 40) ; pour TERT., *Cor.* 15, 1 (*CC* 2, p. 1064, 5), le cavalier est un ange.

   uerba ... sagittae. TERT., *Marc.* 3, 14, 7 (*SC* 399, p. 134, 41 s.) ; ORIG., *In Num.* 17, 5 (*SC* 29, p. 357).

   Corona ... promissa. *II Tim.* 4, 8 ; *I Cor.* 9, 25.

pestilentiam. Harmonisation de *Matth.* 24, 8 et de *Lc* 21, 11, qu'on trouve dans plusieurs manuscrits anciens du NT (dont *C*).

Veni ... et uide. Cf. *Jn* 1, 39. Le texte d'*Apoc.* 6, 1 suivi par Victorin a *ueni et uide* (et non *ueni et uidi*) comme le *Sinaiticus,* le *Gigas, la Peshittô* (W-W). « Viens et vois » est compris comme un appel à la foi, selon *Jn* 1, 46 ; « Il est dit ... 'vois' à celui qui ne voyait pas » rappelle la symbolique baptismale de l'*apertio oculorum.*

equus albus uerbum. Cf. ORIG., *In Ioh.* 1, 278-279 (*SC* 120, p. 200) : le cheval blanc chevauché par le Verbe est la voix du Verbe.

euangelium. Ce texte particulier de *Matth.* 24, 14 (pour *euangelium regni*) se trouve aussi chez Origène, Eusèbe, et plusieurs manuscrits de la *VL* selon l'apparat critique de la *Synopse* d'Aland.

2. **magna fames.** On parle plus généralement de « famines çà et là », conformément aux Synoptiques (W. BOUSSET, *Der Antichrist,* Göttingen 1895, p. 129-131) ; mais certains textes attestent la croyance en une grande famine (famine spirituelle, selon *Am.* 8, 11-12) du temps de l'Antéchrist : *Passio Pionii* 12, 3 (O. VON GEBHARDT, *Acta Martyrum Selecta,* Berlin 1902, p. 106, 1 ; GRÉG. E., *Tract.* 5, 29 (*CC* 69, p. 41, 248 s.).

statera in manu. Sur la balance comme symbole du jugement, voir *DACL,* s. v. *balance,* c. 133-135.

Ait ... uox. Correction probable pour *ait dux* qu'on trouve dans plusieurs manuscrits et qui n'offre pas de sens.

hominem spiritalem. Lien entre l'huile et l'Esprit, le vin et l'Esprit chez les anciens (*VP,* n. III, 3, 37).

3. **deuorationem.** Cf. *Tob.* 12, 3 (« a deuoratione piscis ») ; *Jon.* 2, 11. Cf. aussi *Prov.* 1, 12 : « Deglutiamus eum sicut infernus, uiuentem ». C'est l'image de la gueule d'Hadès, et celle du monstre de Jonas : TERT., *Res.* 58, 8 (*CC* 2, p. 1006, 25) : « Jonas deuoratus a belua maris ».

4. **Animas ... occisorum.** Cette traduction se trouve occasionnellement dans la *VL,* notamment dans CYPR., *Quir.* 3, 16 (*CC* 3,

p. 109, 44) ; *Laps.* 18 (p. 231, 358) et dans le *Gigas* (VOGELS, p. 167). Les âmes sous l'autel sont pour Victorin les justes en général, et non les seuls martyrs, selon l'interprétation la plus fréquente (*VP,* p. 180-181 ; n. III, 3, 47).

sub ara. Comme dans Cyprien et Augustin et plusieurs textes occidentaux (*altare* pour Tertullien, Ambroise et Jérôme).

lex imaginaria ueritatis faciem meditata. La Loi est l'image qui s'efface devant la réalité ; peut-être inspiré d'*Hébr.* 9, 2. Cf. *TLL,* s. v. *imaginarius,* c. 402, 48-55 (*VP,* n. II, 2, 41). *Veritatis faciem* : « vision face à face », qui s'oppose à « vision en énigme », selon *I Cor.* 13, 12.

munera nostra orationes. Interprétation résolument spirituelle malgré la persistance des offrandes en nature à l'époque.

ara aurea quae erat interior. Parallèle antithétique entre les deux autels, comme dans ORIG., *In Num.* 10, 3 (*SC* 29, p. 198), mais avec un sens différent (*VP,* p. 110). Ce texte a influencé *Carm. adu. Marc.* 4, 132-146 ; 182-188 (*CC* 2, p. 1446-1447).

semel ... in anno ... ad aram auream. Cf. *Hébr.* 9, 7.25 ; on passe du « semel in anno » de l'Ancien Testament au « semel » (= une fois pour toute) d'*Hébr.* 9, 28.

infernum ... requies sanctorum. Sens étymologique d'*infernum* (lieu souterrain) ; *requies sanctorum* : c'est la phraséologie des anciennes épitaphes : « hic requiescit... ». Sur la croyance ancienne à un lieu d'attente des âmes des morts avant la Résurrection, voir *VP,* n. III, 3, 44.

neque illi ad illos. On soupçonne une haplographie antérieure à Jérôme : cf. *Lc* 16, 26.

pro corporis sui solatio. TERT., *An* . 55, 2 (*CC* 2, p. 862, 16).

stolas albas ... Spiritus Sancti. Même interprétation du vêtement blanc dans *Od. Sal.* 25 ; IRÉN., *Haer.* 3, 23, 5 (*SC* 211, p. 458, 118) ; HIPP., *In Dan.* 4, 59, 4 (*SC* 14, p. 382, 21). Influence de la symbolique baptismale ancienne : cf. J. DANIÉLOU, *Bible et liturgie,* Paris 1958 p. 69-74.

5. **ut saccus.** On a généralement « ut saccus *cilicinus* ».

obscurabitur splendor doctrinae : Cf. ORIG., *In Matth. A,* 37 (*GCS* 38, p. 10) ; *Fr. in Matth.* 90-91.

Luna sanguinea. Même traduction dans Ps.-CYPR., *Nouat.* (*CSEL* 3, 3, p. 67, 24), Ps.-Prosper et Quodvultdeus (W-W). Sur le symbolisme de la lune, voir H. RAHNER, *Mythes grecs et mystère chrétien,* Paris 1954, p. 170 s.

Stellas cadere. Figure des fidèles ; cf. *Dan.* 12, 3 ; ORIG., *Hom. Gen.* 1, 7 (*SC* 7b, p. 40, 9 s.) ; JEAN CHRYS., *Cat.* 2, 10 (*SC* 366, p. 208-209).

Agitata ficus. Ps.-Cyprien, Quodvultdeus et Primase. Le figuier est l'Église : W. REICHMANN, art. « Feige », *RAC* 7, 1969, c. 673-674. La tempête est symbole de persécution (*VP,* n. III, 3, 74-75 ; III, 3, 76).

amittit grossos. *Grossos* : Ps.-Cyprien, Vulgate et *alia translatio* de Beatus (éd. Sanders, p. 352, 21) ; *amittit* : TERT., *Herm.* 34, 2 (*CC* 1, p. 426, 19) ; *Codex* de Bèze, Quodvultdeus (W-W).

Caelum inuolui. Même traduction dans Tertullien, Ps.-Cyprien ; JÉR., *In Is.* 18 (22-23) = *CC* 73A, p. 794, 22, et Vulgate (W-W). Sur le ciel comme figure de l'Église, cf. ORIG., *Hom. Gen.* 1, 5 (*SC* 7b, p. 38, 5 s.).

ecclesia de medio fit. IRÉN., *Haer.* 5, 29, 1 (*SC* 153, p. 364, 18) : « cum in fine repente hinc ecclesia assumetur ».

insulae. Symbole des Églises dans la tourmente (*VP,* n. III, 3, 97).

recessisse. Parfait qui semble avoir la valeur d'un aoriste.

6. **Statuit eos ... angelorum Dei :** *Deut.* 32, 8 ; les « fils » du TM sont devenus des anges dans les LXX. Utilisation fréquente de ce texte pour appuyer l'idée qu'à chaque nation est préposé un ange (*VP,* n. III, 3, 54). Ici, l'interprétation vient d'Hippolyte (chez DENYS BAR SALIBI, *In Apoc.* 9, 15 = *CSCO* 101, p. 10, 28 — 11, 5) ; HIPP., *In Dan.* 3, 9, 10.

7. baptismo purgati. Traduction propre à Victorin. Les textes latins portent *lauare*, ou omettent le mot (W-W). La foule marquée du sceau figure les baptisés, car le sceau est souvent symbole du baptême : G.W. LAMPE, *The Seal of the Spirit*, Londres 1951, p. 105 ; 111 ; 246.

fecerunt candidas. Cette traduction figure chez Cyprien, dans le *Gigas,* le *Codex* de Bèze et Beatus (W-W). On trouve aussi chez TERT., *Scorp.* 12, 10 (*CC* 2, p. 1093, 6) une distinction entre laver et blanchir, mais dans un autre sens (baptême et martyre). Ici, ce serait plutôt la distinction laver / garder la blancheur (baptême / persévérance dans la grâce baptismale).

VII

descendentem. Leçon du manuscrit *A* ; la tradition hiéronymienne et tous les manuscrits de l'*Apocalypse* ont *ascendentem.* Haussleiter a eu raison de garder cette *lectio difficilior* : le texte biblique est transformé par l'utilisation qui en est faite ; pour ORIGÈNE, cet ange est le Christ (*In Ez.* 13, 2) ; d'après Victorin, il est Élie, qui, selon une tradition ancienne, n'est pas dans le séjour souterrain des morts, mais au paradis : IRÉN., *Haer.* 5, 5, 1 (*SC* 153, p. 64, 22 s.).

Heliam prophetam. Croyance judéochrétienne ancienne au retour d'Élie (*VP,* p. 183). Idée d'une prédication eschatologique d'Élie à son peuple : PS.-CYPR., *Comput.* 14 (*CSEL* 3, 3, p. 261, 22 s.) ; COMM., *Carm.* 839 s. (*CC* 127, p. 104) ; HIL., *In Matth.* 17, 4 (*SC* 258, p. 64, 10-19) ; 10, 14 (*SC* 254, p. 232, 13) ; 26, 5 (p. 198, 14) ; CHROM., *In Matth.* 47, 5 (*CC* 9A, p. 433, 169 s.) ; GRÉG. E., *Tract.* 7, 19 (*CC* 69, p. 60, 158).

ad restituendas ecclesias. JÉR., *In Matth.* 17, 11 (*CC* 77, p. 150, 329) et HIL., *In Matth.* 17, 4 (*SC* 258, p. 64, 19) ; cf. *VP,* n. II, 3, 64.

corda patrum ad filios. Ces pluriels ne se trouvent pas dans la LXX mais figurent dans *Lc* 1, 17, et HIPP., *Antichr.* 46 (*GCS* 1, p. 29, 16).

numerum ex Iudeis ... et ex gentibus. Les 144 000 représentent l'Église issue du judaïsme, et la grande foule, l'Église des nations. L'interprétation est ancienne : cf. *IV Esdr.* 2, 38-42 (éd. Weber, p. 1934) ; HIPP., *Apoc.* 7, 4-8 (*GCS* 1, p. 231 ; P. PRIGENT et R. STEHLY, « Les fragments... », p. 320). Chez d'autres auteurs, les 144 000 sont l'Église en général (Cf. *VP*, n. III, 4, 29).

VIII

1. **effundi iram et scotomari regnum.** Cf. *Apoc.* 14, 10. *Scotoma* appartient au vocabulaire médical et a le sens de « vertige, étourdissement » (*VP*, n. III, 3, 88).

Erit enim angustia magna. Traduction particulière de *Matth.* 24, 21-22 (*VP*, n. II, 1, 136).

archangelos. Les sept anges de la Face auxquels la littérature apocalyptique attribue souvent un rôle lors de la fin des temps (*VP*, n. III, 3, 92-93).

mittet nuntios suos et colligent. *Matth.* 24, 31 dans une version latine propre à Victorin (*VP*, n. II, 1, 142).

octo morsus <hominum>. *Morsus* traduit le δήγματα de la Septante antiochienne ; sur ce verset de *Mich.* 5, 5, déjà appliqué par Hippolyte à la défaite de l'Antéchrist et à l'établissement du royaume millénaire, voir *VP*, n. II, 1, 98 et p. 123-124.

Assur. Figure traditionnelle de l'Antéchrist et du diable. De même Nemrod, premier tyran de la terre et roi de Babylone selon *Gen.* 10, 8.10 (*VP*, p. 60 ; n. II, 4, 96).

Ecclesiastes. Victorin donnait de ce texte une interprétation eschatologisante, dont l'origine pourrait remonter à Hippolyte (*VP*, p. 62). A. LEANZA, « Eccl 12, 1-7 : l'interpretazione escatologica dei Padri e degli esegeti medievali », *Augustinianum* 18, 1978, p. 193.

lolium. *Matth.* 13, 27-30 ; les versions anciennes ont le plus souvent *zizania* (christianisme). *Lolium* apparaît aussi chez COMM., *Instr.* 2, 10, 1 s. et JUVENC., *Euang.* 2, 799 (*CSEL* 24, p. 77) ; 3, 7 (p. 79).

2. **Tuba autem uerbum.** Exégèse classique (*VP,* n. III, 3, 96).

licet repetat. *Repetere* est le mot encore utilisé par AUG., *Ciu.* 20, 17 (*BA* 37, p. 272, 9) pour caractériser l'*Apocalypse* : « multis modis repetit ». Sur la théorie de la récapitulation chez Victorin, voir Introduction, p. 37-38, et *VP,* p. 102-103.

Sunt igitur scripta. Bien que Victorin donne sept exemples, il ne reprend pas les trompettes ou les coupes une par une (*VP,* p. 185-186).

detrectatio. Le mot rend βλασφημία en *Apoc.* 2, 9 chez Victorin.

X

1. **librum apertum.** *Librum* pour *libellum* (*VP,* n. II, 1, 185). Le petit livre est pour Victorin l'*Apocalypse* ; pour ORIGÈNE (*In Ioh.* 5, 7 = *SC* 120, p. 386), c'est l'Écriture tout entière ; de même pour Ps.-CYPR., *Centes.* 44 (*CSEL* 3, 3, p. 86, 350).

Dominum nostrum significat. L'ange est le Christ, comme chez Hippolyte : P. PRIGENT et R. STEHLY, « Les fragments... », p. 321 (Cf. *GCS* 1, p. 232, 1-2 : fragment arabe).

sicut superius enarrauimus. Cf. p. 66, 1-3.

iris iudicium. Cf. p. 48, 2-6.

magni consilii nuntius. Cf. NOVAT., *Trin.* 18, 9 ; 22 ; 31, 17 (*CC* 4, p. 45, 53 ; 47, 132 ; 77, 78). Sur cette traduction d'*Is.* 9, 15 (LXX), voir *VP,* n. II, 1, 81 et p. 243.

post clausam paenitentiam. Cf. *Matth.* 25, 10 ; *Lc* 13, 25. Dans HERM., *Vis.* 3, 13, 5 (*SC* 53, p. 112), on peut se repentir tant que la tour-Église est en construction ; mais une fois la tour achevée, il sera trop tard.

2. **Septem tonitrua.** Image de l'Esprit-Saint, comme dans Ps.-Cypr., *Iud.* 5 (*CSEL* 3, 3, p. 138, 6).

quanta tonitrua locuta fuissent : ὅσα ἐλάλησαν pour ὅτε ἐλάλησαν. Sur cette variante ancienne, voir *VP*, n. II, 1, 184.

obscure. Leçon de *A* confirmée par le manuscrit *S* du Mont-Cassin. Sur cette obscurité de l'Écriture, voir *VP*, p. 93.

relinquere. Voir pour cette correction *VP*, n. III, 3, 110.

gratiam sequentis gradus in primo. Sur cette interprétation d'*I Cor.* 12, 28 (phases d'une chronologie et non degrés d'une hiérarchie), voir *VP*, p. 97 ; 189.

uirtutibus signis portentis magnalibus. *Act.* 2, 22 et surtout *Act.* 4, 20, avec adaptation de la citation au contexte (*VP*, n. III, 3, 113).

confirmatis ecclesiis. *Act.* 15, 41 ; *Hébr.* 2, 4.

solatium ... scripturarum interpretandarum. L'exégète console de la disparition des charismes (*VP*, p. 97).

interpretes prophetas dixit. Idée origénienne (*VP*, p. 97-98).

Ait enim apostolus. *I Cor.* 14, 29 et 11, 5 sont interprétés de façon figurée : la femme est l'Église, qui prophétise la tête couverte, c'est-à-dire qui a affaire avec les mystères de l'Écriture (*VP*, p. 98).

Prophetae duo uel tres dicant. *I Cor.* 14, 29 ; la tâche des prophètes chrétiens n'est plus de proférer de nouvelles prophéties, mais d'interpréter les prophéties bibliques (*VP*, p. 98 et 190).

catholica prophetia. Au sens d'une prophétie de l'ère du NT, comme dans Eus., *HE* 5, 17, 2 (*SC* 41, p. 53). « Inaudita et incognita » ; cf. p. 58, 16 : « nouas prophetias » et la note.

superiori uirtute armato. Image des armes de l'Esprit (*Éphés.* 6, 17 et 6, 11), comme dans Novat., *Trin.* 19, 9 (*CC* 4, p. 70, 44).

corpus Christi ... ornatum. L'homme, qui parle la tête découverte, est l'apôtre, tandis que la femme, qui a sa chevelure pour ornement et donc doit porter le voile, est l'Église (*VP*, p. 98).

3. **libellum.** Le mot figure dans le manuscrit *A* et dans la tradition hiéronymienne la plus ancienne. Victorin (p. 88, 8 (§ 10)) a pourtant utilisé *liber*. L'hésitation est ancienne : le Papyrus Chester Beatty (*P* 47, III ᵉ s.) porte βιβλίον comme Victorin en *Apoc.* 10, 2 et en 10, 9, mais il a βιβλίδιον en 10, 10.

comedere... memoriae est mandare. L'interprétation vient d'Origène : *In Ez. cat.* (*PG* 13, 772D) et surtout *In Lev.* 7, 6 (*SC* 286, p. 342, 19 s.)

Oportet ... iterum praedicare, id est prophetare. A la p. 92, 13-14, Victorin écrit « iterum prophetare oportet » (*VP*, n. III 1, 3, 114 ; II, 2, 34).

in insula Pathmos. La leçon du manuscrit *A* résulte d'une mélecture facile à faire (Partha) et il ne faut probablement pas lui accorder beaucoup d'importance, même si cela rappelle le titre de la *Première Épître de Saint Jean* dans certains manuscrits latins : *ad Parthos* (cf. T. Zahn, *Forschungen zur Geschichte des NT,* 3, p. 100-101). On cherche en vain une *insula partha* (il y a bien, non loin de Dyrracchium, une ville nommée Parthos, mais elle n'est pas dans une île : J. Perin, *Onomasticon totius latinitatis,* Padoue 1920, s. v. *Parthus,* et Polascheck, art. « Parthini », *PW* 18 ⁴, 1949, c. 2029 s.). En tout cas, la tradition manuscrite d'*Apoc.* 1, 9 est unanime à donner Patmos.

in metallo damnatus. Détail unique dans la tradition (*VP*, p. 75).

damnatus a Caesare Domitiano. Victorin peut tirer ce détail d'Hippolyte (chez Denys Bar Salibi, *In Apoc.* = *CSCO* 101, p. 11, 24) ; cf. *VP*, p. 74-75 et n. II, 1, 54.

Ibi ... uidetur ... conscripsisse. La tradition est unanime sur ce point (Cf. *Apoc.* 1, 9.19), si bien qu'on peut hésiter sur le sens à donner à *uidetur* (« selon toute apparence », ou « semble-t-il ») ; cf. Orig., *In Matth..* 16, 6 (*GCS* 10, p. 486, 25 : ἔοικε).

iam seniorem. Sur cette tradition, voir *VP*, n. II, 1, 28.

post passionem. *Passio* au sens large d'« épreuve », à cause d'*Apoc.* 1, 9, plutôt qu'allusion au supplice de l'huile bouillante (*VP*, p. 75).

recipi. *Recipere* signifie ici « permettre d'entrer ». AMBR. A., *Apoc.* (*CC, CM* 27, p. 404, 37) a compris ainsi : « putaretque se celerius ad Christum migrare ».

interfecto Domitiano — dimissus est. L'idée que c'est la *damnatio memoriae* de Domitien qui entraîna la libération de Jean vient d'une ancienne tradition (*VP*, p. 75).

omnia iudicia eius soluta. *Iudicia* au sens de décret (*TLL*, s. v. *iudicium*, c. 609, 47 s.).

XI

1. **arundinem ... potestatem dicit.** La *uirga* (baguette ou bâton) est insigne du pouvoir ou de la parole à l'époque paléochrétienne (*VP*, p. 190).

metiret. Forme active de *metior* : *TLL*, s. v. *metior*, c. 82, 7 s.

euangelium postea conscripsit. A Éphèse, selon Irénée et les *Actes de Jean* : E. Mangenot, art. « Jean (Évangile de saint) », *DB* 3, 1902, c. 1183 ; IRÉN., *Haer.* 3, 1, 1 (*SC* 211, p. 24, 25) ; *Act. Ioh.* (*CC, Series Apocryphorum* 2, p. 712-715).

Valentinus et Cerintus et Ebion. Victorin suit ici l'ordre d'Irénée et non l'ordre chronologique (*VP*, p. 49).

cetera scola Satanae. Cf. p. 58, 5 (§ 2) où les juifs sont dits « synagoga Satanae » ; emprunt à Irénée (*VP*, p. 48).

conuenerunt ... episcopi et compulerunt eum. Sur la source de ce détail, voir *VP*, p. 73.

Mensura ... fidei. Le texte latin correct est conservé chez Jérôme ; *mensura* est ici l'équivalent de *regula* (*VP*, p. 234-235).

Patrem confiteri omnipotentem. L'article concernant le Père a la même brièveté que chez Irénée, Tertullien et Hippolyte : cf. Denzinger, *Enchiridion Symbolorum,* Fribourg-en-Brisgau 1965, 12, 2 et 30, 6.

ante originem saeculi spiritaliter ... genitum. Sur cette formule et l'expression de la préexistence du Fils chez Victorin, voir *VP,* p. 239.

receptum. Cf. I, 6 : « *acceptum* a Patre » ; Tert., *Virg.* 1, 3 (*CC* 2, p. 1209, 21) : « receptum in caelis » ; Irén., *Haer.* 3, 10, 6 (*SC* 211, p. 136, 195).

<effudisse Spiritum> Sanctum. Cf. p. 52, 4 (§ 6) ; 64, 18. L'expression est reprise dans la *Confession* de saint Patrick (*SC* 249, p. 74) ; cf. J.E.L. Oulton, *The Credal Statements of Saint Patrick,* Dublin 1940, p. 24 ; *VP,* p. 349.

donum et pignus. Image des arrhes de l'Esprit-Saint : *Éphés.* 1, 4 ; *II Cor.* 1, 22 ; 5, 5 (*VP,* n. IV, 2, 208).

hunc manum Dei. Sur le Fils comme main de Dieu, voir *VP,* n. IV, 2, 30 et Cypr., *Quir.* 2, 4 (*CC* 3, p. 32, 1).

confitetur : Dominum et Christum eius. Règle de foi résumée par une formule issue de *Ps.* 2, 1 et *Act.* 4, 26. Sur ces formules apparemment « binitaires » qu'on trouve aussi chez Irénée, cf. A. Houssiau, La *christologie de Saint Irénée,* Louvain 1955, p. 64 ; *VP,* p. 234.

2. **Aulam ... interiorem.** Cette traduction correspond à la variante ἔσωθεν, qu'on trouve dans le *Sinaiticus* et dans la version syriaque de l'*Apocalypse* ; Victorin en est le seul témoin latin ; Jérôme n'avait pas jugé bon de corriger le texte, puisqu'on le retrouve dans plusieurs manuscrits de la tradition hiéronymienne.

Aula atrium dicitur. La définition ici donnée correspond mieux à ce que nous appelons un péristyle qu'à un atrium ; mais, dans l'antiquité, le mot est moins précis qu'il ne l'est devenu pour les archéologues (*TLL,* s. v. *atrium,* c. 1103, 30 et 47).

Hos tales. Elliptique : il s'agit des parties non construites, ou « édifiées » (*uacua area*), de l'édifice qu'est l'Église.

cilicio. Texte biblique apparenté à celui du *Gigas* et de Beatus (*ciliciis*) ; ailleurs, on a *amicti saccis*.

alterum tantum. Idée ancienne que la prophétie des deux témoins et le règne de l'Antéchrist se partagent également la dernière semaine du monde ; cf. Ps.-Cypr., *Comput.* 14 = *CSEL* 3, 3, p. 262, 4-7 (*VP*, n. V, 2, 118).

ignem ... potestatem uerbi. Cf. *Sir.* 48, 1.

3. **Helia.** Tous les auteurs anciens s'accordent à voir Élie dans le premier témoin, mais, sur le second, les opinions divergent ; c'est le plus souvent le nom d'Hénoch qui est avancé. Sur cette question des deux témoins, voir *VP*, p. 193-194.

Heliseum. En dehors de ce texte, jamais la tradition ne parle de son éventuel retour, et elle considère qu'il est mort de mort naturelle.

Moysen. Croyance juive, qui s'est maintenue dans le christianisme ancien, en un retour de Moïse aux derniers temps.

Hieremiae ... mors non inuenitur. Hellénisme (εὑρίσκω au passif + négation : « être introuvable malgré une recherche serrée » ; voir Bauer). Sur cette tradition, voir *VP*, p. 193-194.

Per omnia : « en tous points » ; cf. Grég. e., *Tract.* 5, 18 (*CC* 69, p. 38, 157).

illum esse Hieremiam. Seul parallèle ancien (approximatif) : *IV Esdr.* 2, 17 s. (Isaïe et Jérémie). Le thème du retour eschatologique de Jérémie se retrouve ensuite, sous l'influence de Victorin, dans *Carm. adu. Marc.* 3, 179-180 et v. 189 (*CC* 2, p. 1439) = Victorinus, *Versus de lege Domini* (*PLS* 3, 1147) ; Hil., *In Matth.* 20, 10 (*SC* 258, p. 114).

Priusquam te figurarem. *Jér.* 1, 5 ; *figurare* pour *formare* (Vulgate ; Cypr., *Quir.* 1, 21 = *CC* 3, p. 22, 37 ; etc.), *plasmare*

(IRÉN., *Haer.* 5, 15, 3 = *SC* 153, p. 206, 84) ou encore *fingere* (TERT., *An.* 26, 5 = *CC* 2, p. 822, 31).

4. in paradiso. L'idée qu'Élie se trouve dès à présent dans le paradis se rencontrait chez les presbytres dont se réclame IRÉNÉE, *Haer.* 5, 5, 1 (*SC* 153, p. 64, 23) ; cf. J. DANIÉLOU, « Terre et paradis chez les Pères de l'Église », *Eranos Jahrbuch* 22, 1953, p. 452-454.

in hoc capitulo. La division de l'*Apocalypse* en chapitres et versets est ancienne ; le témoignage de Denys d'Alexandrie (EUS., *HE* 7, 25, 1 = *SC* 41, p. 204) pourrait indiquer qu'elle existait déjà début IIIe siècle. Un passage de JÉRÔME (*Epist.* 46, 6 = éd. Labourt, t. 2, p. 106, 4-5) suggère qu'elle était analogue à celle que nous connaissons. Sur ce sujet, voir E. MANGENOT, art. « Chapitres de la Bible », *DB* 2^1, 1895, c. 559-565.

Ait enim Esaias. Ce genre d'erreur d'attribution n'est pas rare chez les anciens ; cf. JUST., *Dial.* 14, 8 ; 29, 2 ; TERT., *Iud.* 4, 2. Ce n'est pas obligatoirement le signe que l'auteur use d'un florilège de *testimonia* ; en effet, vérifier une citation est une entreprise longue et délicate quand il faut dérouler plusieurs rouleaux, et l'on comprend que les anciens préféraient souvent s'en dispenser !

Ecce Assur — in monte Libano. *Éz.* 31, 3-4. Pour Victorin comme pour HIPPOLYTE (*Antichr.* 57 = *GCS* 1, p. 38, 7), Assur est une figure de l'Antéchrist ; JÉR., *In Ez.* 10 (31, 1-18) = *CC* 75, p. 440, 206 et p. 444, 316, atteste que l'interprétation eschatologique de ces versets était répandue (*VP*, p. 79 et 59-61).

Assur deprimens. Étymologie approximative par confusion, possible à l'oral, de deux racines hébraïques, et issue de quelque *Onomasticon* ancien ; *TLL*, s. v. *deprimo*, c. 614, 52 s. : le sens « opprimer » apparaît chez Plaute ; on le retrouve dans le latin de la *Vetus Latina* : *Ex.* 1, 12 chez CYPR., *Fort.* 10 (*CC* 3, p. 199, 19).

Ait enim ad Thessalonicenses. *II Thess.* 2, 7-9 ; sur cette version latine particulière et sur l'Antéchrist selon Victorin, voir *VP*, n. II, 1, 125 et p. 196-199.

malitiam ... facturus est. *Malitiam facere* au sens de *malum facere* (*TLL,* s. v. *malitia,* c. 189, 20-21).

patris <sui>. L'Antéchrist est fils du diable comme Jésus est Fils de Dieu (*VP,* n. III, 4, 68).

suscitatur. Cf. p. 106, 4.

Idciro quoniam — a ueritate. *II Thess.* 2, 10-11 : texte singulier qui porte *amorem Dei* pour *amorem ueritatis,* et qu'on trouve seulement chez IRÉNÉE, *Haer.* 5, 28, 2 (*SC* 153, p. 348, 13). L'interprétation aussi vient d'IRÉNÉE (*Haer.* 4, 29, 1 = *SC* 100, p. 768, 24 ; cf. aussi 5, 28, 2), peut-être à travers HIPP., *In Dan.* 4, 49, 6 (*SC* 14, p. 364, 23).

Sustinentibus illis lucem. Ce verset n'est jamais cité avant Victorin. Interprétation reprise par AMBROS., *In II Thess.* 2, 11 (*CSEL* 81, p. 242) et GRÉG. E., *Tract.* 3, 28 (*CC* 69, p. 26, 230).

5. Sodomam ... Hierusalem. Cf. *Is.* 1, 10. Jérôme hésitera encore entre l'interprétation figurée d'Origène (le monde pécheur) et celle de Victorin (Jérusalem) : ORIG., *In Ex.* 8, 1 (*SC* 321, p. 240, 1) ; *In Hier.* 3, 2 (*SC* 232, p. 382, 30 ; 384, 34) ; *In Matth. A* 50 (*GCS* 38, p. 111, 16) ; JÉR., *In Hier.* 6, 40 (*CC* 74, p. 340, 22) ; *In Soph.* 2, 8-11 (*CC* 76A, p. 687, 406) ; *Epist.* 46, 6 (éd. Labourt, t. 2, p. 106, 14) ; 120, 8, 2 (t. 6, p. 141, 23) ; 121, 10 (t. 7, p. 50, 14).

sparse. Les dictionnaires connaissent *sparsim* plutôt que *sparse* : en éparpillant la matière (image des gouttes d'eau) ; cf. *Hébr.* 1, 1 : πολυμερῶς καὶ πολυτρόπως. Les manuscrits de l'édition hiéronymienne ont *ex parte,* mais le ms. *T* a *ex parte se,* qui garde peut-être le souvenir de la leçon originale.

aliquoties. Opposé à *semel* : « un bon nombre de fois » (*TLL,* s. v. *aliquoties,* c. 1617, 45 s.).

6. apparitio Domini nostri. Symbolique ancienne du Temple (*Jn* 2, 19-22), volontiers développée par ORIGÈNE : *In Ps.* 17, 7 (*PG* 12, 1225D) ; cf. aussi *In Ioh.* 10, 261 s. (*SC* 157, p. 538 s.).

Quadraginta sex annis. Une tradition fort ancienne attribue cet âge au Christ lorsqu'il dispensait son enseignement : J. DANIÉLOU,

Les origines du christianisme latin, p. 50. IRÉN., *Haer.* 2, 22, 5-6 (*SC* 294, p. 222, 127 s.) ; ORIG., *In Ioh.* 10, 261-2 (*SC* 157, p. 538-540). Cf. aussi PS.-CYPR., *Mont.* 4 (*CSEL* 3, 3, p. 108, 15-19) ; *Comput.* 12 (*CSEL* 3, 3, p. 259, 21) ; 15 (p. 262, 20).

Arca testamenti. L'apparition de l'arche d'alliance (généralement figure du Christ incarné) est manifestation du Christ dans le kérygme (*VP*, n. III, 4, 32).

indulgentia delictorum. *Indulgentia*, au sens de « rémission » des péchés (Tertullien et Cyprien) : *TLL*, s. v. *indulgentia*, c. 1248, 82 s.

XII

1. **ecclesia est antiqua — apostolorum.** Pour Victorin, la femme d'*Apoc.* 12, 1 désigne l'Église de la circoncision, et celle d'*Apoc.* 12, 13 l'Église en général (cf. AUG., *In Ps.* 142, 3 = *CC* 40, p. 2061, 8 s.). Les Pères voient le plus souvent dans la Femme une figure de l'Église en général (P. PRIGENT, *Apocalypse XII. Histoire de l'exégèse,* Tübingen 1959).

gemitus et tormenta desiderii sui. ORIG., *In Cant.* 1 (*GCS* 33, p. 90, 12-20).

casus sanctorum corporum. *TLL*, s. v. *casus*, c. 574, 41 : « casus siderum, occasus ».

deficere numquam potest. *Deficere* traduit souvent ἐκλείπειν, voire ἀπόλλυμαι chez les auteurs chrétiens (*TLL*, s. v. *deficere*, c. 329, 31 s.). *Minuere* et *augere*, utilisés par Victorin dans la phrase suivante, sont employés à propos des quartiers de lune.

patrum. Dans les douze étoiles, HIPPOLYTE voit les apôtres (*Antichr.* 60-61 = *GCS* 1, p. 39-42). A la suite d'Irénée, Victorin insiste sur l'humanité du Christ, qui est, par Marie, un descendant des patriarches : A. HOUSSIAU, La *christologie de Saint Irénée,* Louvain 1955, p. 161-162 et 243.

secundum carnis natiuitatem. L'expression n'est pas fréquente (Tertullien se contente de *natiuitas* : R. BRAUN, *Deus Christianorum*, p. 318-321). Cf. toutefois NOVAT., *Trin.* 15 (*CC* 4, p. 36, 13) : *carnalis natiuitas* (parce qu'on l'oppose à la seconde venue du Christ). L'opposition naissance charnelle / génération éternelle est déjà irénéenne.

ex quibus erat Christus carnem sumpturus. La leçon *Christus* (contre *spiritus*, Haussleiter) est celle du manuscrit *A*, confirmée par la majorité des témoins hiéronymiens.

2. **ut ... deuoraret.** *Gigas* ; Césaire La tradition tyconienne et les autres textes ont *ut comederet* (W-W).

angelus refuga. L'ange apostat ; pas d'exemple, semble-t-il, avant Victorin. *Refuga* se trouvait dans certaines Vieilles Latines de *II Thess.* 2, 3 pour traduire ἀποστασία, *discessio*, mot qui peut, dans le contexte, être entendu comme un synonyme de « l'homme de perdition », c'est-à-dire du diable (*Vetus Latina* de Beuron). Cf. *Carm. adu. Marc.* 5, 2 (*CC* 2, p. 1448) ; GRÉG. E., *Tract.* 18, 10 (*CC* 69, p. 133, 77).

<in tertia die — pateretur>. Texte rétabli d'après le témoignage de l'édition hiéronymienne ; « in morte destinare » (ms. *A*) est absurde : le diable a bel et bien « destiné » Jésus à la mort, mais ce qu'il n'a pu faire est de le retenir (*retinere* chez Jérôme). Le texte du ms. *A* est peu clair et semble ici encore lacunaire.

eum temptare. Pour Victorin comme pour IRÉNÉE (*Haer.* 5, 21-22), la scène de la tentation au désert est le moment où le diable découvre la vraie nature du Fils (cf. J. DANIÉLOU, *Théologie du judéochristianisme*, Paris 1958, p. 228-237).

usque ad tempus. Victorin comprend comme ORIGÈNE (*In Lc* 29, 7 = *SC* 87, p. 366) : jusqu'au temps de la Passion.

3. **raptus est in caelis.** L'expression évoque plutôt *Lc* 24, 52 (selon le texte du Papyrus Bodmer 75 et de certaines versions latines : ἀνεφέρετο εἰς τὸν οὐρανόν) qu'*Act.* 1, 9, auquel Victorin renvoie pourtant explicitement, mais où l'on a seulement ἐπήρθη.

Acturum. Ποιμαίνειν est généralement rendu par *recturus* ; *acturus* est sans parallèle.

coloris ... rufi, id est coccinei. *Rufus* comme le *Gigas*, le Palimpseste de Fleury et Primase (Vogels) : l'adjectif traduit exactement le grec πυρρός de l'*Apocalypse*. *Coccineus* (rouge de cochenille) peut être employé pour le sang : *TLL*, s. v. *coccus*, c. 1394, 27 s. (*VP*, n. III, 4, 53).

ab initio enim fuit homicida. Verset souvent cité à ce propos par IRÉN., *Haer.* 5, 23, 2 (*SC* 153, p. 294, 69) ; cf. aussi CYPR., *Orat.* 10 (*CC* 3A, p. 95, 161).

4. **ecclesiam omnem catholicam.** Le pléonasme n'est plus toujours ressenti à l'époque, notamment quand le mot s'oppose à « hérétique » (cf. LACT., *I. D.* 4, 30, 13) ; C. MOHRMANN, *Études sur le latin des chrétiens* 3, Rome 1961, p. 50-51.

populum binum. Cf. p. 84, 10-12 : le peuple juif, converti à la fin par Élie, et l'Église.

quotquot in Iudea collecti fuerint. Rassemblement eschatologique en Palestine : cf. 1, 6.

eant in illum locum. Cf. *Matth.* 24, 16 ; retraite de l'Église au désert, selon un schéma apocalyptique connu (*VP*, n. V, 2, 59).

triennio et mensibus sex. Ce n'est pas une traduction, mais une interprétation de l'expression « un temps, des temps et la moitié d'un temps », comme dans IRÉN., *Haer.* 5, 25, 3 (*SC* 153, p. 316, 63-64).

6. **initium aduentus Antichristi.** Même idée dans AMBROS., *In II Thess.* 2, 8 (*CSEL* 81, p. 241, 8 s.). Sur ce personnage, E. LOHMEYER, art. « Antichrist », *RAC 1*, 1950, c. 450-457 ; H.D. RAUH, *Das Bild der Antichrist im Mittelalter*, Münster 1973 ; *VP*, p. 196-197.

iactari eum de caelo. Leçon des manuscrits hiéronymiens. (*A* porte *antichristum* pour *eum* : c'est une erreur des copistes (le mot revient déjà deux fois en peu de lignes). *Iactari* reprend le verset cité d'*Apoc.* 12, 6 : « iactatus est draco », et, pour Victorin, le dragon n'est pas l'Antéchrist, mais le diable (p. 100, 2 (§ 2)).

Antichristum de inferno suscitari. Cf. p. 106, 4, à propos de *Nero rediuiuus.* Si le diable est une créature céleste déchue (cf. *Ascension d'Isaïe* 4, 2, dans J.H. CHARLESWORTH, *The OT Pseudepigrapha*, Londres 1985, p. 161), l'Antéchrist est un homme, créature de Satan ; pour certains auteurs, il est même une incarnation de Satan : HIPP., *Antichr.* 6 et 14 ; AMBROS., *In II Thess.* 2, 9 (*CSEL* 81, 3, p. 241, 12-13) ; *Consult. Za.* 3, 7, 6 (*SC* 402, p. 213, 44) ; JÉR., *In Dan.* 2 (7, 8) = *CC* 75 A, p. 844, 601-603.

homo peccati. Cf. *II Thess.* 2, 3 ; emploi traditionnel du texte : cf. TERT., *Marc.* 5, 16, 4 (*CC* 2, p. 711, 1-2).

7. **tertiam partem hominum credentium.** Cette opinion, courante selon Victorin, se trouve dans *Passio Pionii* 12, 3 (O. VON GEBHARDT, *Acta Martyrum selecta,* Berlin 1902, p. 116) ; cf. aussi IRÉN., *Haer.* 2, 3, 3 (*SC* 294, p. 330, 83) ; HIPP., *In Apoc.* (DENYS BAR SALIBI, *In Apoc.* = *CSCO* 101, p. 15, 14-18).

XIII

1. **cum uarietate gentium.** HIPP., *In Dan.* 4, 8, 5-6 (*SC* 14, p. 276).

regnum Antichristi. Même interprétation dans HIPP., *Antichr.* 49 (*GCS* 1, p. 31, 20).

ad sanguinem a dentibus armatum. Correction, pour « ab sanguine madente armatum » ; texte probablement déjà illisible dans le manuscrit utilisé par Jérôme, qui lit seulement : « ad sanguinem armatum ».

2. **tunc erat Caesar Domitianus.** Quasi unanimité de la tradition ancienne sur ce point : cf. A. FEUILLET, *L'Apocalypse. État de la question,* Paris 1963 p. 75-78.

Otho, Vitellius et Galba. Les empereurs sont cités dans le désordre, comme c'est parfois le cas ; cet ordre n'avait pas été corrigé par Jérôme (*VP*, n. III, 4, 76).

de septem est. C'est parce que Néron a régné *avant* les sept rois qu'il est dit *de septem* : *de* a le sens de « en dehors de » (*TLL*, s. v. *de*, c. 80, 7). Victorin explique l'énigme d'*Apoc.* 17 par *Dan.* 7 ; sur la solution ingénieuse qu'il propose, voir *VP*, p. 199-200.

modo illa cum aduenerit. *Modo* au sens de *mox* : *TLL*, s. v. *modus*, c. 1308, 21 s.

consummatio. Fin des temps (*TLL*, s. v. *consummatio*, c. 596, 69 s.).

ab Oriente. Néron doit revenir d'Orient (*VP*, p. 201-202 et n. 96-97).

mittentur. Tous les manuscrits ont le singulier, mais ce qui suit oblige à penser que les dix rois sont sujet du verbe.

ab urbe Romana. La tradition parle généralement de dix rois régnant simultanément sur l'Empire romain qui sombre dans l'anarchie (*VP*, n. III, 4, 82).

3. **Neronem dicit.** Sur la croyance au retour de Néron, voir *VP*, p. 200-202 ; n. III, 4, 88. Pour Victorin, Néron est mort (*occisum* plutôt que *quasi occisum*), et non « tenu en réserve » en quelque lieu caché, comme le pensaient plusieurs auteurs (*VP*, n. III, 4, 84). Cette assimilation de Néron à l'Antéchrist est une idée encore connue aux IVe-Ve siècles, mais elle n'est acceptée que par Victorin et Commodien, qui dépend de lui.

insequeretur equitatus. Récit de la mort de Néron selon SUÉT., *Nero*, 49.

suscitatum. Le mot veut dire aussi « ressusciter » : LACT., *I. D.* 7, 24, 4 (*CSEL* 19, p. 659, 2) ; ce sens est confirmé p. 108, 15 : « de inferno resurgens ».

tamquam Christum excipiant. Que l'Antéchrist devait être accueilli par les juifs comme le Messie a déjà été affirmé (p. 58, 5-6).

Sur les simulations de l'Antéchrist pour se faire reconnaître par les juifs alors qu'il est païen, voir *VP*, p. 203-205.

Ait enim Danihel. *Dan.* 11, 37, selon un texte proche des LXX et déjà appliqué à l'Antéchrist par Hipp., *In Dan.* 4, 48, 2 (*SC* 14, p. 362, 4 s.).

legis ... uindictor. Mot rare, connu des seuls glossaires ; Hil., *In Matth.* 26, 2 (*SC* 258, p. 194, 13) : « legis adsertor ».

et supra diximus. Cf. p. 96, 10 s.

nomine mutato <et actu immutato>. Omission du ms. *A*, en raison de l'homéotéleute ; la correction est suggérée par les mss hiéronymiens, dont plusieurs portent cette lecture. Le manuscrit utilisé par Lactance (*I. D.* 7, 16 = *CSEL* 19, p. 635, 15), qui lisait un manuscrit de Victorin différent de celui de Jérôme, comportait une omission différente (« nomine <mutato et actu> immutato »), qu'on retrouve aussi dans plusieurs mss de la tradition hiéronymienne. Il est probable que Lactance et ces manuscrits comprenaient alors *immutato* au sens (rare) de *mutato* (*TLL,* s. v. *immutare,* c. 513, 39 s.).

nomen illius <DCLXVI>. Le chiffre manque dans le ms. *A* ; mais, la tradition hiéronymienne étant unanime à donner le chiffre 666, il faut penser que Victorin avait bien 666 et non 616, en dépit des affirmations de Ps.-Jér., *Mon.* (Morin, p. 196, 27 s.) et du *Liber Genealogus* (*MGH, AA* 9, p. 194). Les éditions hiéronymiennes successives suggèreront ici des noms pour l'Antéchrist : dans l'édition Y, Genséric, roi des Vandales persécuteur des chrétiens en Afrique, et son contemporain Antemos, auguste d'Occident en 467-472, fort impopulaire en Italie ; dans l'édition Φ ultérieure, ces deux noms sont remplacés par ceux qu'on trouvait chez Irénée.

ad literam grecam — explebit. Spéculations anciennes sur le nom ainsi désigné en énigme dans Irén., *Haer.* 5, 30, 1 et 3 (*SC* 153, p. 370, 31-32 ; 380, 68 s.) ; Hipp., *Antichr.* 50 (*GCS* 1, p. 34, 1 s.).

4. falsum prophetam. L'hellénisme *pseudopropheta* est beaucoup plus fréquent que *falsus propheta,* qu'on trouve toutefois chez Cyprien (*TLL,* s. v. *falsus,* c. 192, 14). Même assimilation de la bête de la terre au faux prophète dans Irén., *Haer.* 5, 28, 2 (*SC* 153, p. 354, 46).

signa et portenta et mendacia. *II Thess.* 2, 9 : σημείοις καὶ τέρασιν ψεύδους.

ut mortui surgere uideantur. L'*Apocalypse* ne parle pas de pseudo-résurrections, mais l'idée se trouve dans la tradition (*VP*, p. 205). Victorin interprète ces faux miracles comme les apologètes les miracles des païens : cf. ORIG., *C. Cels.* 6, 45 (*SC* 147, p. 292, 30 s.).

imago aurea Antichristi in templo. Plusieurs auteurs situent *II Thess.* 2, 2-4 (l'Impie trônant dans le temple) dans Jérusalem rebâtie (*VP*, p. 205-206).

exsecratione. Le mot traduit peut-être βδέλυγμα (cf. *TLL*, s. v. *exsecratio*, c. 1837, 29 s.) comme dans PS.-CYPR., *Comput.* 14 (*CSEL* 3, 3, p. 261, 19 et 262, 13) et TERT., *Iud.* 8 (*CC* 2, p. 1358, 40).

montem maris. *Dan.* 11, 45, selon un texte corrompu des LXX : θελήσεως est devenu θαλάσσης.

sicut fecerat rex Nabuchodonosor. L'épisode de la statue d'or dressée par le roi (*Dan.* 3, 1) préfigure les prétentions de l'Antéchrist à se faire adorer, comme chez Irénée et Hippolyte (*VP*, n. III, 4, 129).

Aspernatio. Au sens de *contemptus* (*TLL*, s. v. *aspernatio*, c. 823, 50 s.).

euersio. Ce terme est rarement appliqué à des êtres humains en latin (*TLL*, s. v. *euersio*, c. 1025, 45 s.). Voir toutefois LACT., *I. D.* 7, 17, 2 (*CSEL* 19, p. 638, 15) : l'Antéchrist est « euersor ac perditor generis humani » (c'est peut-être un souvenir de notre texte).

XIV

2. damnationem meretricis. Comme dans le manuscrit grec *215* (cf. W-W), pour « meretricis *magnae* ».

ex decreto senatus. Sur le problème posé par ce décret du Sénat, dont le rôle paraît avoir été plutôt indirect, voir *VP*, n. IV, 1, 28.

bestiam roseam. *Roseus,* qui peut désigner la couleur du sang, est ici propre à Victorin. L'interprétation transforme le texte biblique (*VP,* p. 86).

diffusionem populorum. Interprétation toute biblique (cf. *Gen.* 11, 9), qui ne doit rien à l'étymologie alexandrine (ORIG., *C. Cels.* 4, 21 : Babel = « confusio linguarum »).

Sor. C'est le nom hébreu de Tyr, conservé dans la LXX : JÉR., *In Is.* 7 (23, 1-3) = *CC* 73, p. 307, 5.

de Sor ... de Babylone. Exégèse probablement traditionnelle : cf. ORIG., *Princ.* 4, 3, 9 (*SC* 268, p. 374-6) ; TERT., *Marc.* 3, 13, 9-10 (*SC* 399, p. 128, 62 s.).

3. **botros.** Mot tardif (*TLL,* s. v. *botrus,* c. 2147-2148).

<sicut in messe arida>. Cf. *Apoc.* 14, 15 : ἐξηράνθη. Omission probable du copiste de *A* ; sans ces mots, l'explication portant sur la pluralité des images n'a plus de sens.

4. **calcatio torcularis.** Le pressoir est une figure du châtiment : *Is.* 63, 3-6 ; *Lam.* 1, 15.

usque ad frenos equorum. Sur l'image du cheval dans les textes patristiques, voir J.W. SMIT, « The Triumphant Horseman Christ », *Mélanges Chr. Mohrmann,* Nouveau Recueil, Utrecht 1973, p. 172-190 (ici p. 182-184).

In sanguine peccasti. Même interprétation, avec référence à *Apoc.* 6, 9-10 dans JÉR., *In Ez.* 11 (35, 1-15) = *CC* 75, p. 694, 465-9.

sicut in quattuor — et rotis. Figure probable du monde, à cause du chiffre quatre, comme dans NOVAT., *Trin.* 8, 11 (*CC* 4, p. 24, 69 s.).

XV

populum contumacem. Cf. p. 64, 7.

id est perfecte. Sept, chiffre de la perfection : CYPR., *Fort.* 11 (*CC* 3, p. 205, 89-90) ; JÉR., *Epist.* 36, 7 (éd. Labourt, t. 2, p. 56, 8).

ut in Leuitico dicit. *Septem plagas* a amené le rapprochement avec *Lév.* 26, 28 ; voir la version de ce verset dans ORIG., *In Ez.* 1, 2 (*GCS* 33, p. 322, 6) : « apponam iis *plagas septem* super peccata eorum ».

XIX

cuius in aduentu. Venue du Christ, souverain victorieux : *TLL,* s. v. *aduentus,* c. 837, 45. 61 ; 838, 40 s.

colligentur gentes. Cf. *Apoc.* 19, 19 ; le verbe peut être employé pour des troupes (*TLL,* s. v. *colligo,* c. 1610, 80) ; tradition rabbinique ancienne selon laquelle Dieu réunira tous les peuples pour assiéger Jérusalem ; J. BONSIRVEN, *Eschatologie rabbinique d'après les Targums, Talmud, Midrashs,* Rome 1910, p. 326.

gladio cadent. Cf. *Apoc. syr. Ba.* 72, 2-6 (*SC* 144, p. 515).

quae fuerint nobiliores. COMM., *Carm.* 987-988 (*CC* 128, p. 109) ; *Instr.* 2, 35, 12-13 (p. 70).

in seruitutem sanctorum. Cf. *Is.* 60, 10 ; 61, 5 ; *Ps.* 71, 11 ; J. BONSIRVEN, *Eschatologie rabbinique...,* p. 330-331 ; 333. Cf. IRÉN., *Haer.* 5, 35, 1 (*SC* 153, p. 440, 25-27) ; ORIG., *Princ.* 2, 11, 2 (*SC* 252, p. 396, 45-49) ; COMM., *Carm.* 987-988 et 998 ; *Instr.* 2, 35, 12-13 (*CC* 128, p. 109-110 ; 70) ; LACT., *I. D.* 7, 24, 4 (*CSEL* 19, p. 659, 3-6). JÉRÔME témoigne que les juifs de son temps interprétaient encore les choses ainsi : *In Soph.* 3, 10-13 (*CC* 76A, p. 704, 387-392) ; *In Mich.* 2 (4, 11-13), p. 478, 410 s. et 2 (5, 7-14), p. 491, 411.

XX

1. Coccineum ... zabulum. *Coccineus* est dans le texte latin de l'*Apocalypse* de Victorin en 12, 3 ; cf. aussi p. 100, 7 ; 110, 8-9.

in tartarum gehennae. Expression insolite et redondante, qui allie un mot classique et un calque de l'hébreu (*TLL,* s. v. *gehenna,* c. 1725, 28).

catholice = *uniuerse* : *TLL*, s. v. *catholice*, c. 618, § 5 s.

Haec resurrectio prima. Sur le thème des deux résurrections et le chiliasme de Victorin, voir Introduction, p. 40 et *VP*, p. 211-212.

ad hunc. Ce singulier, peut-être amené par le parallèle avec *Apoc.* 2, 11, existe dans quelques manuscrits grecs (W-W) ; Victorin en est le seul témoin occidental.

Et uidi agnum. Pour Victorin, *Apoc.* 20, 4-6 « récapitule » *Apoc.* 14, 1-4.

cum eo CXLIIII milia. Reprise de l'interprétation de p. 84, 9-12.

indignatae sunt. Toute la tradition a *iratae sunt* (W-W).

2. **Paulus ad ecclesiam Macedoniam — stabunt primi.** *I Thess.* 4, 15-17 ; *suscitaturus* est une glose condensant « in iussu in uoce archangeli » ; la traduction de Victorin présente comme toujours des traits propres ; « in uerbo *Dei* (pour *Domini*) : *stare* pour *resurgere* (voir la *Vetus Latina* de Beuron).

Ait ergo ad Corinthios. *I Cor.* 15, 51-52 : « et nos *mutabimur* » trouve un parallèle dans Tert., *Marc.* 5, 10, 14 (*CC* 1, p. 694, 14).

immortales fient. Cela glose *surgent* ; de telles équivalences rappellent que les oppositions tranchées qu'on a voulu voir entre les notions « grecque » d'immortalité et « biblique » de résurrection sont excessives.

surgituros. Forme barbare pour *surrecturos*.

gloria contegi. L'expression revient dans la traduction latine de Victorin en *Is.* 4, 5 (p. 118, 2-3) : gloire de Dieu couvrant Jérusalem. Le thème du vêtement de gloire, de salut, etc., est fréquent dans l'AT (*Is.* 52, 1 ; *Sir.* 6, 31 ; etc.) et également présent dans le NT : vêtement étincelant de lumière du Christ à la Transfiguration (*Matth.* 17, 2 ; *Lc* 9, 29) avec l'explication de *II Pierre* 1, 17 : il reçut de Dieu honneur et gloire.

non anticipauerint surgere. Emploi rare d'*anticipo* + inf. (*TLL*, s. v. *anticipo*, c. 167).

adiecit dicendo. Hébraïsme : *TLL,* s. v. *adicio,* c. 674, 30 et 50.

in prima anastase. Il a traduit plus haut « in resurrectione prima » : l'expression se trouve aussi dans COMM., *Instr.* 2, 3, 1 (*CC* 128, p. 63) ; *Carm.* 992 (p. 110), et ARN. J., *In Ps.* 20 (*PL* 53, 352A) ; elle est rare par ailleurs (*TLL,* s. v. *anastasis,* c. 19, 72 s.).

castigatio est in infernum. A la différence de Tertullien, Victorin ne distingue pas entre *castigatio* et *damnatio.* Cf. *TLL,* s. v. *castigatio,* c. 531, 1 s.

XXI

1. **In regno...** Évocation libre d'*Apoc.* 21-22, dont Victorin regroupe les versets en fonction de ses intentions.

differentium ... lapidum circumdatam. Emploi unique de *circumdo* au sens d'orner, avec le génitif : *TLL,* s. v. *circumdo,* c. 1133, 25 s.

auro mundo, id est dilucido. La glose s'explique du fait que le texte de l'*Apocalypse* utilisé par Victorin omettait « simili cristallo puro », comme certains manuscrits grecs (W-W).

Cristallo ... plateam eius stratam. *Apoc.* 21, 21 et *Tob.* 13, 16-17 ; la *platea strata* appartenait peut-être à une ancienne version européenne ; cf. JÉR., *Epist.* 46, 6 (éd. Labourt, t. 2, p. 107, 3) ; *In Ps.* 86, 2 (*CC* 78, p. 110, 42) ; CASSIOD., *In Apoc.* 21, 19 (*PL* 70, 1416A).

per medium effluens. Raccourci d'*Apoc.* 22, 1-2 qu'on trouve aussi dans EUS. VERC., *Trin.* 12, 166 (*CC* 9, p. 200, 1298).

uitae fontes aquarum. *Apoc.* 21, 6, au lieu de « fons aquae uiuae » ; cf. CYPR., *Quir.* 2, 1 (*CC* 3, p. 30, 39).

in circuitu. L'expression rend ἐντεῦθεν καὶ ἐκεῖθεν ; c'est déjà ainsi que Victorin (ou sa version de l'*Apocalypse*) traduisait κυκλόθεν καὶ ἔσωθεν en *Apoc.* 4, 8.

faciens fructus. Se trouve aussi dans le *Gigas* et chez Ambroise.

eminentiorem gloriam. La « gloire suréminente » est celle de l'alliance nouvelle par rapport à l'ancienne ; cf. *II Cor.* 3, 10.

2. **adferri ibi munera regum seruiturorum.** *Ps.* 71, 10 ; *Is.* 60, 12. J. BONSIRVEN, *Eschatologie rabbinique d'après les Targums, Talmud, Midrashs,* Rome 1910, p. 331-332 ; cf. aussi *Orac. Sib.* 3, 657-8 (*GCS* 8, p. 82) (vers 140) ; ORIG., *Princ.* 2, 11, 2 (*SC* 252, p. 396, 49-52).

non ita ut nouimus. Agrandissement eschatologique de Jérusalem : idée développée dans le judaïsme (J. BONSIRVEN, *Eschatologie rabbinique...*, p. 280 ; ID., *Textes rabbiniques des deux premiers siècles chrétiens,* Rome 1954, n° 271), et adoptée par les chrétiens millénaristes : JÉR., *In Is.* 15 (54, 1-2) = *CC* 73A, p. 601, 67 s. ; JUST., *Dial.* 80, 5 (éd. Archambault, p. 36).

Aspice, inquit. Victorin complète *Gen.* 13, 14-15 par *Gen.* 15, 18 (cf. *Sir.* 44, 21) ; IRÉN., *Haer.* 5, 36, 3 ; 32, 2 (*SC* 153, p. 461, 52 ; p. 398, 25-46 ; cf. aussi p. 387, 113 et 397, 9).

Dominabitur a mari usque ad mare. *Ps.* 71, 8, déjà appliqué au règne messianique avant Victorin : M.-J. BRIÈRE-NARBONNE, *L'Interprétation des prophéties messianiques selon les Targums,* Paris 1936, p. 73 ; ID., *Les prophéties messianiques du Nouveau Testament dans la littérature juive,* Paris 1933, p. 24-25 ; *Dial. Athan. Za.* (éd. F. C. Conybeare, p. 51).

a mari rubro - Fenicis. Texte corrigé à l'aide du manuscrit *S*, qui utilise des témoins anciens.

Syriae maioris. Expression insolite pour désigner la Syrie au sens large (HONIGMANN, art. « Syria », *PW* 4A ², c. 1551, 65 s. ; 1553, 38).

aequari et mundari. *Is.* 62, 10 ; *Is.* 4, 4, utilisé par les millénaristes selon Jérôme : JÉR., *In Is.* 2 (4, 6) = *CC* 73, p. 62, 3.

in aduentum Domini — manifestum est. Évocation libre d'*Is.* 4, 5-6 « in aduentum Domini » répond à ἥξει ; *nebula* à νεφέλη ; *in* *circuitu* à πάντα τὰ περικύκλῳ ; *contegi* à σκιάσει ; la suite est citée plus exactement.

3. **Inluminare, Hierusalem.** *Is.* 60, 1 ; 60, 19-20 ; versets utilisés par les millénaristes au dire de JÉRÔME : *In Is.* 17 (60, 1-3) = *CC* 73, p. 692, 17-43.

Et erit firmamentum. Interprétation eschatologique du *Ps.* 71, 16 ; Sabatier produit un texte du *Sangermanensis*, très semblable au nôtre.

Danihel autem dixit... Cf. *Dan.* 2, 32-45. Le texte de Daniel utilisé par Victorin n'est pas exactement celui de la Septante, ni celui de Théodotion (*VP,* p. 80-82). Les différentes composantes de la statue figurent la succession des royaumes terrestres, finalement détruits par la petite pierre, symbole du royaume du Christ ; cf. IRÉN., *Haer.* 5, 26, 1-2 (*SC* 153, p. 324-338) ; HIPP., *In Dan.* 2, 13, 2 (*SC* 14, p. 144, 30-146, 7). La petite pierre symbolise déjà le Messie ou le royaume messiannique pour les rabbins dès avant l'époque de Flavius Josèphe : J. BRAVERMANN, *Jerome's Commentary on Daniel. A Study of Comparative Jewish and Christian Interpretation of the Hebrew Bible,* Washington 1978, p. 110-111.

gens non indagabit. *Indagare* ne correspond ni au texte des LXX ni à celui de Théodotion ; la répétition du verbe une ligne plus bas pourrait faire soupçonner une bévue du copiste.

indagabit omnia regna terrae. *Indagare* appartient au vocabulaire de la chasse (« traquer »), et a pu parfois être employé au sens figuré (« frapper, mettre à l'épreuve ») : *TLL,* s. v. *Indagare,* c. 1105, 76 ; G. MORIN, *Anecdota Maredsolana* 3, 3, p. 103, 9). Peut-être rend-il ici le λικμήσει de Théodotion, qui signifie « vanner », mais aussi « écraser, détruire ».

4. **et Paulus ad Corinthios...** *I Cor.* 15, 25 ; Victorin semble tirer les affirmations de Paul dans le sens d'*Apoc.* 20, mais c'est peut-être avec raison, certains étant d'avis que Paul aussi fut millénariste (J. DANIÉLOU, *Théologie du judéochristianisme,* Paris 1958, p. 341 ; W. BAUER, art. « Chiliasmus », *RAC* 2, 1954, c. 1076).

Exsultaui, quemadmodum audiuimus. Montage probable du *Ps.*
59, 8 (avec le parfait pour le futur, ce qui est fréquent dans la *VL*,
à cause de la difficulté qu'il y a à faire coïncider le système des
temps de l'hébreu avec celui du grec ou du latin), ou encore du *Ps.*
121, 1 avec le *Ps.* 47, 9 : « Comme on nous l'avait dit, nous l'avons
vu dans la ville de notre Dieu », où il est question de Sion affer-
mie à jamais par le Seigneur. L'utilisation du *Ps.* 60, 8 à propos du
royaume eschatologique, dont on évoquait la venue lors de la fête
des tentes, est attestée dans le judaïsme (STRACK-BILLERBECK 2,
779) ; quant au *Ps.* 48, 9, COMMODIEN (*Carm.* 799-800 = *CC* 128,
p. 102) l'emploie pour évoquer l'aube du royaume des mille ans ;
application à la Jérusalem céleste aussi dans JÉR., *In Is.* 15 (54, 11-
14) = *CC* 73, p. 610, 102-105.

confessionem suam in ore. *Rom.* 10, 9-10. *Os* et *Confessio* sont
souvent liés ; cf. AMBR., *Noe* 26, 97 etc. et PHIL., *Haer.* 155, 8 (*CC*
9, p. 320, 38-40), où le chant ininterrompu des séraphins est la foi
des hommes et l'incessante *confessio oris.*

5. **Quisquis reliquerit — possidebit.** Contamination de *Matth.* 19,
29 et de *Mc* 10, 30 ; *mercedem suam* vient de *Matth.* 5, 12. Sur
l'idée que *Matth.* 19, 29 sera accompli dans le royaume millénaire,
cf. IRÉN, *Haer.* 5, 33, 2 (*SC* 153, p. 408, 28-38) ; JÉR., *In Matth..* 3
(19, 29-30) = *SC* 259, p. 84, 248 s.

qui fraudati sunt in bonis. Thème des biens du royaume millénaire comme compensation des biens auxquels les chrétiens auront
renoncé en ce monde : IRÉN., *Haer.* 5, 32, 1 (*SC* 153, p. 396, 10-
16) ; TERT., *Marc.* 3, 24, 5 (*CC* 1, p. 54, 1).

carceribus necati. *Carcer* au sens d'incarcération (*TLL*, s. v. *carcer*, c. 438, 38).

lapidati necati secati. Allusion rapide au martyre des prophètes,
qui s'inspire d'*Hébr.* 11, 36-37 plutôt que de toutes les légendes
existant sur le sujet ; cf. R.H. SCHERMANN, *Propheten und
Apostellegenden* (*TU* 31, 3), Leipzig 1907, p. 109 s. ; J. DANIÉLOU,
Les Origines du christianisme latin, p. 99.

accipient solatium suum. *Matth.* 5, 15. Thème de l'accomplissement des Béatitudes dans le royaume millénaire, comme chez les

millénaristes pourfendus par ORIG., *Princ.* 2, 11, 1 (*SC* 252, p. 398, 61-63).

redditurum — bruchus et corruptela. L'abondance messianique de la création restaurée compense les famines subies ici-bas. Cf. IRÉN., *Haer.* 5, 32, 1 ; 33, 3 (*SC* 153, p. 398, 17-24 ; 414, 63-65). *Bruchus* : une variété de sauterelles d'après les glossateurs (*TLL*, s. v. *bruchus*, c. 2206). *Corruptela* rend vaguement les deux derniers termes de l'énumération de Joël.

recondita — eructabit. Selon une tradition juive, lors du règne du Messie, tous les trésors de l'Éden seront donnés aux hommes : J. BONSIRVEN, *Eschatologie rabbinique d'après les Targums, Talmud, Midrashs,* Rome 1910, p. 498 et 496 ; *Orac. Sib.* 3, 652-660 (*GCS* 8, p. 82) ; *Apoc. syr. Ba.* 29, 4 et 8 (*SC* 144, p. 483).

et lapides pretiosos. *Is.* 60, 17 ne parle pas de pierres précieuses, mais il en est question chez les millénaristes auxquels s'en prend ORIG., *Princ.* 2, 11, 2 (*SC* 252, p. 396, 50-52) ; cf. *Op. imp. In Matth.* 2 (*PG* 56, 642).

uirtutes gentium. Traduction d'*Is.* 60, 5 plus proche de l'hébreu et de Symmaque que de la LXX.

sacrilegi. Cf. TERT., *Apol.* 10, 1 (éd. Waltzing, p. 25) : « itaque sacrilegi et maiestatis rei conuenimur ».

bibent uinum — laetitiam. *Is* 25, 6-7 (*LXX,* calquée par la *VL*) ; cf. ORIG., *In Ex.* 7, 8 (*SC* 321, p. 234, 44) ; RUFIN, *Symb.* 17 (*CC* 20, p. 154, 24) ; etc. Le même lien entre *Is.* 25, 6-7 et *Matth.* 26, 29 est fait dans JÉR., *In Is.* 8 (25, 6-8) = *CC* 73, p. 327, 44-52, peut-être sous l'influence du *Commentaire sur Isaïe* de Victorin.

6. Non bibam — in regno futuro. *Matth.* 26, 29, dans un texte proche du texte alexandrin ; cf. CLÉM. A., *Paed.* 2, 32, 3 (*SC* 108, p. 70, 4) : même omission, même ordre inversé ; ORIG., *In Cant.* 3 (*GCS* 33, p. 227, 21). Verset souvent allégué par les millénaristes : IRÉN., *Haer.* 5, 33, 1 (*SC* 153, p. 406, 6 s.) ; ORIG., *Princ.* 2, 11, 1 (*SC* 252, p. 398, 57-61).

decies millies. Cf. *Apoc. syr. Ba* 29, 8 (*SC* 144, p. 483) ; STRACK-BILLERBECK 4, 949-954 ; IRÉN., *Haer.* 5, 33, 3 (*SC* 153, p. 414, 69) :

ceci est explicitement mis au compte du « presbytre auditeur de Jean », Papias ; IRÉN., *Haer.* 5, 33, 2 (p. 408, 15-19).

<de> hominibus hoc dicit. Lecture spirituelle après l'interprétation millénariste ; sur les pierres comme symbole des chrétiens, et les portes comme figure des apôtres, cf. CLÉM. A., *Paed.* 2, 119, 1 (*SC* 108, p. 226) ; PS.-CYPR., *Mont.* (*CSEL* 3, 3, p. 116, 4).

gratia per illos data. Même interprétation des portes de la cité céleste dans le passage ci-dessus mentionné de Clément.

faciem contra faciem. La vision face à face de Dieu par Moïse est la figure de la contemplation de Dieu dans le Royaume : *Apoc.* 22, 4 ; *I Cor.* 13, 12 ; IRÉN., *Haer.* 4, 9, 2 (*SC* 100, p. 484, 64).

unus alterum non requisiuit. Le parfait est probablement un hébraïsme. Interprétation millénariste d'*Is.* 34, 15-16, avec transformation du texte biblique par l'utilisation qui en est faite ; cf. JÉR., *In Is.* 10 (34, 8-17) = *CC* 73, p. 423, 82 s. La fin du commentaire est abrupte : il n'y a pas plus de conclusion qu'il n'y avait d'introduction.

L'authenticité de la lettre, ainsi que celle de la finale, est certaine (voir les nombreux parallèles avec les autres œuvres de Jérôme dans les notes) ; le tout peut être daté de 398. Pour l'analyse, nous renvoyons à notre article « Jérôme "éditeur" du *Commentaire sur l'Apocalypse* de Victorin de Poetovio », *REAug* 37, 1991, p. 199-236.

transuadantes. Rare chez Jérôme ; cf. toutefois *Epist.* 14, 10 (éd. Labourt, t. 1, p. 44, 3).

turbo uentorum. La comparaison maritime, banale chez Jérôme, apparaît en termes presque identiques dans *In Is.* 13, prol. (*CC* 73A, p. 506, 1-4).

uidetur continere. "Contient de toute évidence" : Anatolius a des doutes sur l'authenticité victorinienne à cause du millénarisme de l'auteur, qui lui paraît, à lui qui est probablement d'origine orientale, une imperfection difficile à imputer à un évêque martyr. Jérôme répond par une mise en perspective historique.

periculosum et obtrectatorum latratibus patens. Même expression dans le Prologue de Jérôme à sa traduction du Pentateuque en 398-400 (R. Weber, *Biblia sacra iuxta vulgatam versionem*, 1975 [2], p. 3, 4), ainsi que dans l'*Apologie contre Rufin* (*CC* 79, p. 61, 9). J. BROCHET, *Saint Jérôme et ses ennemis,* Paris 1906, p. 36.

de egregii uiri opusculis iudicare. Expression très parallèle dans *In Dan.* 3 (9, 24) = *CC* 75 A, p. 865, 140.

et anterior Papias... et Nepos. Comme dans la lettre à Anatolius, le millénarisme de Papias et Népos est signalé par Jérôme dès 393 dans *Vir. ill.* 18, 4 et 69, 5 (éd. Ceresa-Gastaldo, p. 112 et 174), sans remarques polémiques, ce qui tranche vivement avec le ton des notices ultérieures de Jérôme sur le millénarisme, qui d'ailleurs ne mentionnent plus Papias ni Népos (cf. M. DULAEY, « Jérôme, Victorin et le millénarisme », p. 93-98).

de mille annorum regno. Pas moins de 18 exemples de l'expression chez Jérôme, d'après le *Thesaurus Augustinianus* du Cetedoc.

ne spernerem ... reuolui. On retrouve quasiment la même expression dans la lettre à Evangélus de l'été 398 : *Epist.* 73, 1 (éd. Labourt, t. 4, p. 20, 1-2).

crucis signum. Sur ce signe critique et l'endroit où il était placé, voir « Jérôme "éditeur" de Victorin », p. 202 et n. 12-13.

imperitiis ... scriptorum. Expression semblable vers 397 dans *Epist.* 71, 5 (éd. Labourt, t. 4, p. 12, 22).

uitiata correximus. Même expression dans *Epist.* 84, 7 (*ibid.* p. 133, 22).

roborare = "approuver", comme dans *Epist.* 28, 4 (éd. Labourt, t. 2, p. 20, 25-26).

Si uita nobis comes fuerit. Jérôme utilise à plusieurs reprises la formule, quand il envisage un autre commentaire : *In Matth.* 4 (26, 2) = *SC* 259, p. 234, 25. Le premier exemple (*In Hab.*, Prol. = *CC* 76 A, p. 579, 22) date de 393 : il a 46 ans.

sanitatem dederit. Jérôme sort d'une longue maladie : J. CAVALLERA, *Saint Jérôme,* Louvain-Paris 1922, t. 1, p. 289 et particulièrement n. 2.

sudabit ingenium. Expression affectionnée par Jérôme : H. GOELZER, *Étude lexicographique et grammaticale de la latinité de Saint Jérôme,* Paris 1884, p. 257.

1. mille annorum regnum. La finale hiéronymienne comporte en premier lieu une mise au point générale sur le millénarisme : réfutation très rapide du fait que Jésus devrait régner mille ans sur notre terre, et interprétation figurée du chiffre mille (elle a paru trop succincte au réviseur du sous-groupe φ des manuscrits du commentaire, qui l'ont remplacée par un condensé d'Aug., *Ciu.* 20, 7). En second lieu, il procède à une nouvelle interprétation d'*Apoc.* 21-22, qui explique que la Cité sainte est une figure de l'Église.

non arbitror esse terrenum. Dénégations semblables dans *In Jer.* 4, 43 (*CC* 74, p. 213, 24) ; *In Dan.* 2 (7, 17) = *CC* 75 A, p. 848, 712.

si ita sentiendum est. Raisonnement par l'absurde, dont Jérôme se sert souvent pour montrer l'inanité du millénarisme : *In Matth.* 19, 29-30 (*SC* 259, p. 251) ; *Epist.* 46, 7 ; 59, 3.

ut mei sensus capacitas sentit. Formules de modestie analogue dans *In Eph.* 3 (5, 32) = *PL* 26, 536 ; *Epist.* 20, 5 (éd. Labourt, t. 1, p. 83, 22) ; *In Eccl.* 8, 1 (*CC* 72, p. 314, 28).

decalogum significat. Idée fréquente chez les Alexandrins. Cf. « Jérôme "éditeur" de Victorin », p. 208-209.

centenarius uirginitatis coronam. La couronne est à la fois la couronne d'immortalité et la désignation du chiffre 100 dans le comput digital des anciens ; cf. *Epist.* 49, 2 (éd. Labourt, t. 2, p. 121, 25) ; 133, 8 (t. 7, p. 83, 8) ; cf. « Jérôme "éditeur" de Victorin », p. 209.

cordis cubiculum. Cf. *Matth.* 6, 6 ; Jér., *In Is.* 16 (58, 5) = *CC* 73, p. 664, 19 ; l'image est moins fréquente chez Jérôme que chez Ambroise ou Augustin. Interprétation spirituelle individuelle, qui précède l'interprétation ecclésiale, qui sera développée davantage.

iugulauerit. Leçon des meilleurs manuscrits, d'ailleurs appuyée par *Epist.* 130, 8 (éd. Labourt, t. 7, p. 178, 24) : « incentiua uitiorum statim iugulabis ».

integre. Le mot, appelé par « integrum propositum », est par ailleurs inconnu chez Jérôme.

creditur regnare cum Christo. Est roi l'homme qui a l'empire sur lui-même : idée origénienne qu'on a aussi dans JÉR., *In Ps.* 67 (*CC* 78, p. 47, 202).

immortale ... regnum. Seul exemple de l'expression chez Jérôme ; probablement dû à la volonté de *uariatio* à côté *d'aeterno rege* ; l'adjectif est l'équivalent d'« éternel » dans *I Tim.* 1, 17.

non solum corpore — lingua. Formule reprise du passage de Victorin coupé par Jérôme (cf. p. 114, 13). La suite est un montage de versets de l'*Apocalypse* qui reprend celui de Victorin.

2. **plateam stratam.** Sur ce texte, cf. « Jérôme "éditeur" de Victorin », p. 214, n. 82.

sanctorum adunatam turbam. Cf. *Hébr.* 12, 22-23.

fluctuare. Cf. *Éphés.* 4, 14.

quadratis lignis. *Gen.* 6, 14 (LXX) ; interprétation alexandrine des bois équarris : cf. « Jérôme "éditeur" de Victorin », p. 210.

pretiosos lapides fortes in persecutione. Sur cette symbolique des pierres précieuses, cf. « Jérôme "éditeur" de Victorin », p. 210.

impetu pluuiae. Même interprétation dans *In Ez.* 11 (38, 1-23) = *CC* 75, p. 530, 1618.

dissolui. Image de la pierre trop dure pour être attaquée par les intempéries et arrachée au mur ; elle est facilitée par des emplois figurés de *dissolui,* comme dans *Epist.* 98, 14 (éd. Labourt, t. 5, p. 52, 7).

Platea. Symbole inspiré par les réalités de l'urbanisme romain ; la place est un endroit pavé, et donc dégagé, qui sert de promenade.

deambulet. Image très fréquente chez Philon pour exprimer l'inhabitation de Dieu dans l'âme : *Praem.* 123 (*OPA* 27, p. 36, n. 2).

spiritalis natiuitatis. Même interprétation dans HIL., *In Ps.* 1, 17 (*CSEL* 22, p. 32) ; JÉR., *In Ps.* 1, 3 (*CC* 78, p. 8, 160) ; CHROM., *Serm.* 43 (*CC* 9 A suppl., p. 616).

apostolorum diuersae gratiae. Même lien avec la prédication apostolique dans les textes précédemment cités ; l'ensemble est peut-être origénien. Cf. « Jérôme "éditeur" de Victorin », p. 212-213.

ab uno ligno crucis. Les fruits de l'arbre de la croix ; art. « Baum », *RAC* 2, 1954, c. 1-33.

quattuor — uirtutes. Les portes de la Cité sont les vertus, par lesquelles on va au Christ. Ce sont les vertus cardinales des stoïciens (« Jérôme "éditeur" de Victorin », p. 211).

quae inuicem — numerum. Même expression dans *Epist.* 64, 20 (éd. Labourt, t. 3, p. 137, 4-6), avec référence à l'*Apocalypse* ; *Epist.* 66, 3 (p. 168, 25).

apostolorum esse credimus numerum. Sur les douze portes et les douze apôtres, cf. « Jérôme "éditeur" de Victorin », p. 211-212.

angelorum laetetur chorus. Cf. *Hébr.* 12, 22.

cum Cerintho heretico. Sur Cérinthe, voir G. BARDY, « Cérinthe », *RB* 30, 1921, p. 344-373. Il apparaît ici comme le père du millénarisme, comme dans EUS., *HE* 3, 28, 1-5, ce qui n'est jamais le cas dans les nombreuses notices que Jérôme a consacrées au millénarisme. Parmi les *maiorum libri* que Jérôme dit avoir consultés au sujet du millénarisme, il y a bien sûr Origène, mais aussi Eusèbe, déjà abondamment utilisé dans *Vir. ill.* en 393.

FRAGMENT CHRONOLOGIQUE

exemplaribus apostolorum. Au IIe siècle ou au début du IIIe, l'expression ne renvoie pas nécessairement aux Douze, mais elle signifie en tout cas qu'on considère la tradition comme très ancienne. Cf. M. DULAEY, « Le fragment chronologique... », p. 137.

VII kal. Ian. La Nativité est située au 25 décembre par Hippolyte de Rome et plusieurs auteurs occidentaux ultérieurs : voir V. HOLZMEISTER, *Chronologia vitae Christi*, Rome 1933, p. 41-47. Il y a de la confusion dans les manuscrits d'HIPP., *In Dan.* 4, 23, 3 (*GCS* 1, p. 242) à propos de cette date ; sur la restitution du texte, voir M. RICHARD, « Comput et chronologie chez saint Hippolyte », *Mélanges de Science Religieuse* 8, 1951, p. 20-21.

Sulpicio ... Camerino. Le nom du deuxième consul (C. Poppaeus Sabinus) a disparu, et l'on a scindé en deux le nom du premier. Ils sont consuls en l'an 9 : E. VON DOBSCHÜTZ, *Das Kerygma Petri* (*TU* 11 [1]), Berlin 1894, p. 138 ; M. DULAEY, « Le fragment chronologique... », p. 133-134.

baptizatus est. Le baptême de Jésus est fixé au 6 janvier par certains au dire de Clément d'Alexandrie ; c'est la date qui s'imposera ensuite en Occident. J. LEMARIÉ, *La Manifestation du Seigneur*, Paris 1956, p. 39-40 ; V. HOLZMEISTER, *Ibid.*, p. 104-105.

Valeriano et Asiatico consulibus. En l'an 46 : cf. E. VON DOBSCHÜTZ, *Ibid.*

X Kal. Apr. Le 23 mars : sur cette date, V. HOLZMEISTER, *Ibid.*, p. 169-171 ; V. LOI, « Il 25 Marzo, data pasquale, e la cronologia giovannea della Passione », *Eph. Lit.* 85, 1971, p. 48-69. A.

STROBEL, *Der Ursprung und Geschichte des frühhchristlichen Ostkalendars* (*TU* 121), Berlin 1977, p. 370-372.

Nerone III et Valerio Messalla. En 58 : cf. E. VON DOBSCHÜTZ, *Ibid.*

VIII Kal. Apr. Le 25 mars : jour de l'équinoxe de printemps pour les Anciens ; le début du renouvellement du monde par la résurrection du Christ coïncide avec le renouveau printanier annuel. M. DULAEY, « Le fragment chronologique... », p. 143.

[Ascendit — habere dicens.] Ces lignes, absentes du manuscrit *P*, sont l'œuvre d'un interpolateur : M. DULAEY, « Le fragment chronologique... », p. 131.

VIII Kal. Iul. La naissance du Baptiste est située six mois jour pour jour avant celle du Christ, conformément à *Lc* 1, 36, et sa circoncision au huitième jour subséquent, selon *Lc* 1, 59.

Ad Mariam... VIII Kal. Apr. L'Annonciation est placée au 25 mars, neuf mois exactement avant la Nativité : Augustin considère que c'est là une tradition ancienne. Sur cette date, F. CABROL, art. « Annonciation », *DACL* 1 ², 1907, c. 2243-2244.

eodem die Dominum fuisse conceptum. Sur ces correspondances, voir M. DULAEY, « Le fragment chronologique... », p. 139.

LA CONSTRUCTION DU MONDE

1. Cogitanti — animo meo. MIN. FEL., *Octau.* 1, 1 (éd. Beaujeu, p. 1). Reprise pompeuse d'une expression cicéronienne (par le canal d'un auteur chrétien) pour donner de la solennité à l'introduction.

fabrica. Le mot désigne pour Victorin à la fois l'acte de créer et l'édifice du monde, sa structure ; *TLL*, s. v. *Fabrica,* c. 14, 27 ; LACT., *Epit.* 37, 2 (*CSEL* 19, p. 712, 22) ; cf. V. LOI, *Lattanzio nella storia del linguaggio e del pensiero teologico prenicefno*, Zürich 1970, p. 120 et 113-114 (*VP*, p. 246).

clausi. THÉOPH. A., *Autol.* 2, 13 (*SC* 20, p. 134) ; cf. P. NAUTIN, « Ciel, pneuma et lumière ... », *VChr* 27, 1973, p. 169. Une telle image suppose un système cosmologique où les cieux enveloppent la terre.

conditione : R. BRAUN, *Deus Christianorum*, p. 358 ; 363-364 ; *TLL*, s. v. *conditio*, c. 145, 10 s.

Totam molem — expressit. Citation de TERT., *Apol.* 17, 1 (éd. Waltzing, p. 39). *Exprimere* pris en ce sens est unique chez Tertullien (R. BRAUN, *Ibid.*, p. 389).

principii loco. L'expression pourrait indiquer que nous n'avons ici que le début d'un ouvrage plus ample : est-ce le *Commentaire sur la Genèse* ?

septimanarum regina. Heureuse correction d'Haussleiter (pour *regionum*). *Regina* est à prendre au sens étymologique, comme dans CIC., *Tusc.* 2, 47 : elle régit toutes choses. On trouve dans la littérature chrétienne des expressions analogues : Pâques, reine des journées, etc. (cf. *SC* 187, p. 329, n. 17).

uirtutis diem. *Ps* 109, 3 : « tecum principium in die uirtutis tuae » ; le « jour de puissance » est le temps de la création, qui contient déjà en germe tous les accomplissements.

consummationem. *Consummatio* est parfois employé pour parler de l'accomplissement des Écritures : HIL., *Myst.* 1 ; 27 ; 37 (*SC* 19, p. 74, 15 ; 120, 20 ; 134, 5) : *consummare* ; *In Ps* 68, 1 (*CSEL* 22, p. 313, 24) : *consummatio*. Cf. *VP*, p. 247.

2. **In principio — lucem.** Cela sonne comme une citation biblique. En fait, après les quatre premiers mots de *Gen.* 1, 1, Victorin passe de la citation à la déduction. Sans s'expliquer sur le sens de la suite du v. 1, 1 (« Au commencement, Dieu créa le ciel et la terre »), Victorin explique que la lumière est créée *avant* le ciel et la terre (d'après *Gen.* 1, 3 ; 1, 6 et 1, 10).

die noctuque diuisit. La forme d'ablatif *noctu* se trouve en latin archaïque. Victorin s'étend longuement sur l'alternance du jour et de la nuit, marque de la miséricorde divine et de l'équilibre des choses.

per stationes. Par leurs veilles (les astres assurent leur temps de service) ; cf. *Fabr.* 10, où les heures du jour et de la nuit sont assimilées à des anges qui se tiennent autour du trône de Dieu.

3. **tetras.** Dans la langue de la koinè, le mot peut désigner le mercredi, quatrième jour de la semaine dans le calendrier juif : W. BAUER, *A Greek English Lexicon of the New Testament and Other Early Christian Literature*, Chicago-Londres, éd. 1979. Cf. aussi PHIL A., *Quaest. Gen.* 3, 12 (éd. F. Petit, *OPA* 34 B, p. 44-47). Il y en a des exemples dans *Did.* 8, 1 (*SC* 248, p. 172, 3) ; HIPP., *In Dan.* 4, 23, 3 (*SC* 14, p. 306, 14). Voir aussi G.W.H. LAMPE, *A Greek Patristic Lexicon*. En latin, Victorin est le premier à l'utiliser, mais AMBR., *Abr.* 2, 9, 65 (*CSEL* 32, p. 619, 15 s.) suppose que ce sens était bien connu de son public. Sur la discipline du jeûne à Pœtovio, voir *VP*, p. 226-228.

ieiunamus. Le jeûne du mercredi est déjà connu de *Did.* 8, 1 (*SC* 248, p. 172, 3). Cf. J. SCHÜMMER, *Die altchristliche Fastenpraxis,* München 1933. R. ARBESMAN, art. « Fastentage », *RAC* 7, 1969, c. 507-508.

superpositio. Trois emplois dans Victorin (p. 140, 3 et 20 ; 142, 4 (§ 5)) et un de *superponere* (p. 142, 2 (§ 5)). Tertullien ignore le mot (il dit : *continuare ieiunia*). Victorin distingue trois types de jeûne : *statio,* jeûne jusqu'à la troisième heure (vers 14-15 heures, c'est-à-dire l'heure du repas principal pour beaucoup) ; le *ieiunium,* jeûne qui dure jusqu'au soir ; *superpositio,* le jeûne jusqu'au lendemain matin. Cf. J. SCHÜMMER, *Ibid.,* p. 10-105 ; 107 ; 159.

ante thronum. Même expression p. 148, 7. Selon *Apoc.* 4, 6, les animaux sont au milieu et autour du trône, mais la suite de la liturgie céleste suppose qu'ils sont autour (c'est-à-dire devant) comme les vingt-quatre vieillards.

quattuor euangelia —, quattuor flumina. VICT., *In Apoc.* 4, p. 68, 37. Sur les quatre animaux et la manifestation du Verbe aux hommes, cf. IRÉN., *Haer.* 3, 11, 7-8 (*SC* 211, p. 158 s.). Même lien entre les quatre évangiles et les quatre fleuves dans HIPP., *In Dan.* 1, 17 (*SC* 14, p. 105) ; 1, 18 (texte grec dans M. RICHARD, « Les difficultés d'une édition du commentaire de saint Hippolyte sur Daniel », *RHT* 2, 1972, p. 6).

quattuor generationes populorum. IRÉN., *Haer.* 3, 11, 8 (*SC* 211, p. 168, 48 s.) : dans le texte grec, mais non dans la version latine. CLÉM. A., *Strom.* 5, 6 (*GCS* 52, p. 348, 16) ; *Ecl. proph.* 51 (*GCS* 17, 2, p. 151, 13).

hominis uituli leonis aquilae. Ce n'est ni l'ordre de l'énumération d'*Éz.* 1, 5, 10, ni celui d'*Apoc.* 4, 7, mais c'est un ordre logique pour celui qui, comme Victorin (*In Apoc.* 4) et Irénée, voient dans les quatre animaux les symboles des quatre phases de la révélation du Fils de Dieu aux hommes (Incarnation, Passion, Résurrection et Ascension). Le même ordre se retrouve dans JÉR., *Adu. Iouin.* 1, 26 (*PL* 23, 247) ; *In Mc* 1 (*CC* 78, p. 451, 1-10).

comprehensus est. Le Christ est arrêté le mercredi et reste prisonnier ce jour-là. Ce n'est pas la chronologie qui a prévalu en

Occident : selon les évangiles synoptiques, il y a arrestation après la Cène le jeudi soir, c'est-à-dire au début du sixième jour des juifs. Sur la chronologie présentée par Victorin, cf. *VP*, p. 227.

captiuitatem. Le sens est bien celui de « status captiui » déjà attesté chez Tacite, et non le sens rare de « actus capiendi » : *TLL*, s. v. *captiuitas*, c. 367, 5 s.

tetradem. Accusatif de durée. Jésus est arrêté *tetrade* (abl. : à un moment précis, le mardi soir) et détenu *pendant* le mercredi (quatrième jour).

frugibus laeta. Cf *Act.* 14, 17.

4. **Die quinto terra et aqua.** Si les êtres peuplant la mer et le ciel apparaissent bien au cinquième jour (*Gen.* 1, 20-23), ceux qui peuplent la terre ne surgissent qu'au sixième jour (*Gen.* 1, 24-27) ; on sait qu'il y a quelque désordre dans la répartition des œuvres divines selon les jours dans le texte sacré.

creata sunt quae deerant. Cela vise probablement les plantes (*Gen.* 1, 29-30). *Creare* est encore rare chez Tertullien : R. BRAUN, *Deus Christianorum*, p. 369-370.

Ac sic Deus hominem. Tous les éditeurs déplacent à juste titre l'expression après *quae deerant* (elle est située après *ediderunt* dans l'unique manuscrit).

hominem de humo instruxit. TERT., *Apol.* 18, 2 (éd. Waltzing, p. 41) : « qui hominem de humo struxerit ». Fausse étymologie, dont QUINTILIEN (*I. O.* 1, 6, 34) se gausse déjà, mais que LACTANCE (*I. D.* 2, 10, 3 = *CSEL* 19, p. 147, 10) reprend encore. Sur ce sens d'*humus*, cf. *TLL*, s. v. *humus*, c. 1312, 51.

Prius tamen angelos atque archangelos creauit. Texte corrompu et difficile. *Hominem finxit* est conservé par les éditeurs anciens, Cave, Walker et Routh, qui ajoutent un *quam* après *creauit* : cela signifierait que Dieu a créé l'homme avant les anges et les archanges, idée contredite par les lignes suivantes. Il faut certainement supprimer ces deux mots, comme l'avait bien vu Haussleiter ; c'est sans doute à l'origine une glose marginale explicitant l'étrange *hominem instruxit*.

parasceue. C'est le terme grec παρασκευή translittéré, qui apparaît déjà dans TERT., *Iei.* 14, 2 (*CC* 2, p. 1273, 5) et *Marc.* 4, 12, 6 (*CC* 1, p. 570, 13). Sur l'emploi de ce mot pour désigner le sixième jour de chaque semaine, et pas seulement la préparation de la Pâque, voir J. SCHÜMMER, *Die altchristliche Fastenpraxis,* München 1933, p. 59-60.

praeparatio ... regni. Cf. *Fabr.* 6, où le septième jour figure le règne millénaire. Victorin rappelle la finalité de la création de l'homme, comme CLÉM. A., *Strom.* 6, 141, 3.

consummauit. Au sens d'« achever », ce qui paraît un trait de la langue courante ; *TLL,* s. v. *consummo,* c. 600, 47 s. : *monumentum consummare .* IRÉN., *Haer.* 2, 7, 5 (*SC* 294, p. 75, 137) : « mundum consummauit » au sens de « créer » (cf. ARN., *Nat.* 2, 37).

prius opera sua consummauit quam angelos crearet. Quand Dieu a-t-il créé les anges selon Victorin ? Il les crée, comme l'homme, après avoir achevé *ses œuvres,* pour qu'ils ne puissent pas prétendre avoir été ses auxiliaires lors de la création. De quelles *œuvres* s'agit-il ? « Spiritalia terrenis anteponens », dit Victorin : ils sont créés avant les choses terrestres, donc probablement au quatrième jour, avec les astres, dont on pensait qu'ils avaient le gouvernement (J. MICHL, art. « Engel IV », *RAC* 5, 1962, c. 136 ; ID., art. « Engel II », *Ibid.,* c. 71). L'idée que les anges apparaissent au quatrième jour se rencontre dans ÉPIPH., *Haer.* 65, 5.

fabricaret. Puisqu'ici une anarchie totale règne dans l'emploi des modes (deux sur trois ont été corrigés), il ne paraît pas aberrant de corriger le *fabricauit* du manuscrit en *fabricaret,* ce qui donne un sens plus satisfaisant.

ne forte adiutores. J. MICHL, art. « Engel III (gnostisch) », *RAC* 5, 1962, c. 104-105 ; H. JONAS, *La religion gnostique,* Paris 1978, p. 177-179 (1 e éd. 1958). Les chrétiens attribuent parfois aussi aux juifs cette façon de voir (liée à l'exégèse de *Gen.* 1, 26 : « Faisons l'homme... »), mais l'idée était loin de s'être imposée dans le judaïsme : cf. E.E. URBACH, *The Sages, their Concepts and Beliefs,* Jérusalem 1979, t. 1, p. 203-208.

5. superponere. Jeûne du samedi, qui n'est apparemment rompu que par l'eucharistie du dimanche. Ce jeûne du samedi, qui apparaît au tournant du IIIe siècle, ne faisait pas l'unanimité dans l'Église ancienne (J. SCHÜMMER, *Die altchristliche Fastenpraxis*, München 1933, p. 152-159) ; le jeûne étant interdit le sabbat dans le judaïsme, il a probablement pour fonction de démarquer les chrétiens des juifs, comme le suggère la suite (« nequid cum Judaeis sabbatum obseruare uideamur »). Victorin lui donne toutefois aussi un sens positif : préparation à la réception du pain eucharistique.

cum gratiarum actione ad panem. Selon A. STUIBER, art. « Eulogia », *RAC* 6, 1966, c. 914-915, *gratiarum actio* n'aurait répondu qu'au sens de « rendre grâces ». Toutefois, la traduction latine de la *Tradition Apostolique* d'Hippolyte, qui paraît remonter au IVe siècle, présente l'expression « gratias agere panem / calicem » (*Trad.* 21 = *SC* 11b, p. 90 et 19).

quod ipse — resoluit. Cette phrase annonce le développement suivant ; le Christ a aboli le sabbat en paroles (ordre donné à Moïse) et en actes, c'est-à-dire en figure, en la personne de Moïse lors du combat contre Amalec.

odisse. Cf. *Is.* 1, 13-15 ; texte utilisé dans la polémique antijuive, notamment par IRÉN., *Haer.* 4, 17, 1 (*SC* 100, p. 578, 40) et surtout Tertullien : 12 exemples selon C. AZIZA, *Tertullien et le judaïsme*, Nice 1977, p. 73.

sabbatum ... resoluit. *Resoluere* correspond au grec καταλύειν (*Matth.* 5, 17) : « abolir » et non « enfreindre », à la différence de *uiolare sabbatum* qu'on trouve généralement dans les controverses avec les juifs. En fait, Victorin joue sur les deux sens.

ne circumcisio diem octauum praeteriret. *Lév.* 12, 3. Texte déjà invoqué avant Victorin pour souligner que le sabbat n'avait qu'une valeur relative : JUST., *Dial.* 27, 5 (éd. Archambault, p. 122) ; IRÉN., *Haer.* 4, 8, 2 (*SC* 100, p. 468, 30-32) ; ORIG., *Princ.* 4, 3, 2 (*SC* 268, p. 348, 43 s.).

quae die sabbato plerumque incurrit. *Jn* 7, 22 atteste la pratique juive de la circoncision des enfants le sabbat. Il ne semble pas qu'au sein du judaïsme cela ait jamais fait question : on prescrivait seulement qu'il ne fallait pas circoncire les païens ce jour-là (STRACK-BILLERBECK II, p. 487-488 ; B. BLUMENKRANZ, *Die Judenpredigt Augustins,* Paris 1973, p. 29, n. 5.

prospiciens duritiam. Moïse est prophète. On trouve que la « dureté de cœur » est reprochée aux juifs dans *Matth.* 19, 8. Thème fondamental de la première partie du *Dialogue avec Tryphon* de JUSTIN (ch. 18 ; 27 ; etc.) ; voir aussi aussi IRÉN., *Haer* 4, 15, 2.

die sabbati leuauit manus. *Ex.* 17, 8-13 ne parle nullement de sabbat ; transformation du texte biblique par la tradition orale, à cause de son utilisation habituelle dans la polémique antijuive (*VP,* p. 112-113).

se ipsum crucifixit in proelio. Moïse en orant debout sur la montagne (*Ex.* 17, 11) était traditionnellement une figure du Christ crucifié : cf. déjà BARN., *Epist.* 12, 2-4 (*SC* 172, p. 167-169) ; JUST., *Dial.* 112, 2 et 90, 4-5 = éd. Archambault, p. 174, 7 et 84, 1 (7 allusions chez Justin). Ici, l'épisode préfigure aussi la *statio* des chrétiens, comme dans TERT., *Iei.* 10, 9 (*CC* 2, p. 1268, 3-5).

allophylis. Cf. p. 142, l. 12 (§ 5) et l. 7 et 10 (§ 6) ; le mot désigne les étrangers par rapport à Israël, les *goyyim*. Le mot était utilisé dans certains textes de la *Vetus Latina* ; on le trouve chez Tertullien, Hilaire et encore au IVᵉ siècle : cf. *TLL,* s. v. *allophylus,* c. 1692, 26 s.

ut caperentur et — formarentur. Phrase difficile ; quel est le sujet de *caperentur* ? Les juifs (reprenant *populus*) ou les *allophyli* ? Si les juifs sont le sujet de *caperentur* et *formarentur,* cela signifie que Moïse reste debout les bras levés sur la montagne pour que les juifs soient prisonniers de la Loi et formés par son observance à éviter le jugement, ce qui n'a guère de sens ; car, dans l'esprit de Victorin, l'observance de la Loi ne peut épargner le châtiment aux juifs qui rejettent le Christ. En fait, la phrase ne se comprend que si l'on fait des païens le sujet, et si l'on considère que, pour notre auteur, Moïse, debout sur la montagne, est à la fois la figure du Christ crucifié et celle de la *statio sera* des chrétiens le jour du sabbat (comme c'est le cas dans TERT., *Iud.* 10, 9). Selon la première figure, le combat a pour fin la « capture » des *allophyli,* c'est-à-dire le passage des nations au Christ (cf. *II Cor.* 10, 5 : « nous faisons captive toute pensée pour l'amener à obéir au Christ », et aussi *Éphés.* 4, 8).

Selon la seconde figure, une fois chrétiens, les païens pratiquent désormais le jeûne du samedi (*seueritas legis* renvoie alors à la rigueur du jeûne chrétien, la seconde Loi radicalisant l'ancienne, et non à la *morositas* que les païens reprochent au sabbat juif). Ce jeûne apparaît comme un jeûne pénitentiel, le samedi étant désormais tendu vers le huitième jour, où prend place non seulement la Résurrection, mais aussi le jugement. GRÉGOIRE D'ELVIRE (*Tract.* 8, 18 = *CC* 69, p. 67, 155, repris par Ps. ISID., *Iud.* 2, 15 = *PL* 83, 522 : « propter tentationem ») semble avoir compris *ut caperentur* au sens de « pour tromper les juifs » ; mais c'est en contradiction avec la fin qui parle d'éviter le châtiment. La traduction de R.E. Wallis (*Ante-Nicene Fathers* 7, p. 342), qui a arbitrairement coupé la phrase en deux, ne nous paraît pas possible.

disciplinam. Au sens de châtiment (*TLL*, s. v. *disciplina*, c. 1323, 83 s.)

6. **pro die octauo.** *Ps.* 6, 1 (généralement *pro octaua*) ; Victorin rend à *pro* son sens étymologique : « devant, en vue de » (cf. ERNOUT-MEILLET, *Dictionnaire étymologique*, Paris 1959 [4], s. v. *pro* : sens local et temporel de « en avant, devant »). Ce n'est pas une prière pour le huitième jour en ce sens qu'elle serait à prononcer ce jour-là. C'est une prière que l'on dit *avant* le huitième jour et *en vue* du huitième jour (autre sens de *pro*), c'est-à-dire le sabbat. Le texte biblique est cité librement avec regroupement des compléments et des verbes parallèles.

iudicet. Au sens de châtier (Vulgate : *Gen.* 15, 14 ; *Job* 36, 31).

futuri illius iudicii. Emprunt à HIPP., *In Ps.* 10 (éd. P. NAUTIN, *Le dossier d'Hippolyte et de Méliton*, Paris 1953, p. 175, 6-11), et peut-être aussi à IRÉNÉE ; cf. le texte de *Haer.* 5, 28, 3 dans le manuscrit *Paris Grec 1043* du XVe siècle (J. DANIÉLOU, « La typologie millénariste de la semaine », *VChr* 2, 1948, p. 10) ; mais le texte est d'authenticité douteuse.

extra ordinem septimanae. Cf. BAS., *Hexaem.* 2 (*SC* 26 bis, p. 184).

dispositionis. L'économie (*TLL*, s. v. *dispositio*, c. 1434, 36 s.) ; cf. IRÉN., *Haer.* 3, 11, 9 (*SC*, p. 171, 242) et 3, 17, 4 (p. 338, 75) ; HIL., *Myst.* 1, 37 (*SC* 19 b, p. 134).

Die ... sabbati. On ne lit pas dans *Jos.* 6 que Josué ait combattu le sabbat devant Jéricho. Transformation du texte biblique à cause de l'usage traditionnel du passage dans la polémique antijuive. TERT., *Marc.* 4, 12, 3 (*CC* 1, p. 569, 13), et surtout *Iud.* 4, 8-9 (*CC* 2, p. 1349, 44-49) : l'épisode est déjà utilisé dans l'argumentation contre le sabbat, Tertullien arguant que, si l'arche a tourné sept jours autour de Jéricho, elle l'a fait « etiam sabbato ». APHRAATE, *Dem.* 13, 2 (*SC* 359, p. 604) et AMBROS., *Quaest.* 61 (*CSEL* 50, p. 109, 14-16) affirment également que Josué a violé le sabbat devant Jéricho. Sur ce texte et son utilisation, voir *VP*, p. 110-111.

Matthias. La graphie Matthias figure aussi dans certains manuscrits anciens de CYPRIEN (*Fort.* 5 = *CC* 3, p. 192, 22) ou de JÉRÔME (*In Eccl.* 9, 5, 6 = *CC* 72, p. 324, 109 ; *In Naum* 1, 2 = *CC* 76 A, p. 526, 10). Les deux formes coexistent dans les *Antiquités Judaïques* de Flavius Josèphe d'après l'index de l'édition Riese. L'abréviation Matthias (pour Mattatias) est déjà juive ; on la trouve au début de notre ère sur un ossuaire de Jérusalem : E. DINKLER, *Signum crucis*, Tübingen 1967, p. 4.

Matthias ... sabbatum resoluit. *I Macc.* 2, 25 rapporte le meurtre du fonctionnaire royal, mais sans dire que les événements ont lieu un sabbat ; et si *I Macc.* 2, 41 rapporte la décision prise de combattre désormais même le sabbat, rien ne nous dit que les victoires auxquelles fait allusion le v. 47 eurent lieu un sabbat. Transformation du texte due à la tradition de polémique antijuive, comme précédemment, et peut-être simplification de TERT., *Iud.* 4, 10 (*CC* 2, p. 1349, 53), où il n'y avait encore aucune inexactitude : Tertullien ne prétend pas que le chef qui a mené les juifs au combat le sabbat était Matthias (*VP*, p. 111-112).

praefectum ... regis : LXX : ὁ ἀνὴρ τοῦ βασιλέως ; HIPP., *In Dan.* 4, 42, 9 (*SC* 14, p. 350, 3) : τὸν δυνάστην τοῦ βασιλέως. *Vetus Latina* : « uirum regis », dans LUCIF., *Parc.* 12 (*CC* 8, p. 219, 70).

apud Matthaeum scriptum legimus. Phrase laconique, qui renvoie sans doute à la controverse sur le sabbat (*Matth.* 12, 3-5) ; peut-être faut-il supposer une lacune de quelques mots, car, dans la controverse sur le sabbat, c'est l'exemple des prêtres violant le sabbat par leur service dans le Temple (*Matth.* 12, 5) qu'on rencontre régulièrement : JUST., *Dial.* 27, 5 ; 29, 3 (éd. Archambault, p. 122 et 128). IRÉN., *Haer.* 4, 8, 2(*SC* 100, p. 468, 31-32) ; AMBROS., *Quaest.* 61, 1 (*CSEL* 50, p. 109, 18-20).

Esaias quoque et ceteri collegae eius. *Is.* 1, 13-14 est souvent invoqué à propos de la controverse sur le sabbat : TERT., *Marc.* 1, 20, 5 ; 5, 4, 6 (*CC* 1, p. 462, 22 s. ; p. 673, 25). Pour les « collègues » d'Isaïe, on peut penser à *Os.* 2, 13 et *Am.* 5, 21 (cf. TERT., *Marc.* 5, 4, 6).

uerum illud — sabbatum. Opposition entre le sabbat juif (figure valable pour le temps de l'AT) et le sabbat éternel, comme dans BARN., *Epist.* 15, 8 a-b (*SC* 172, p. 187 ; TERT., *Iud.* 4, 2-5 (*CC* 2, p. 1347-1348). Victorin est plus proche d'IRÉN., *Haer.* 4, 16, 1 (*SC* 100, p. 562, 26), et surtout d'HIPP., *In Dan.* 4, 23, 5 (*SC* 14, p. 306, 22-23), qui affirme que le sabbat est le type de la future royauté des saints, qui règneront avec le Christ après sa venue des cieux. L'expression « le *vrai* sabbat » est dans ORIG., *In Num.* 23, 4 (*SC* 29, p. 444) ; IRÉN., *Haer.* 5, 33, 2 (*SC* 153, p. 410, 35).

septimo milliario annorum. Le substantif *mil(l)iarium,* pour désigner une durée de mille ans, ne se trouve que dans notre texte et dans AUG., *Ciu.* 20, 7, 2 (*BA* 37, p. 214), lequel précise toutefois « miliarium annorum » (*TLL,* s. v. *miliarius,* c. 948, 59-62) ; le mot désigne par ailleurs une borne milliaire. Mais l'adjectif *miliarius* (qui est déjà chez Varron) figure dans TERT., *An.* 30 (*CC* 2, p. 828, 38) : « milliarium tempus » ; (p. 828, 19) : « milliarium aeuum ». On préfèrera plus tard *millenarius.*

septem diebus istis — adsignauit. C'est la combinaison de *Gen.* 1 et du *Ps.* 89, 4, qui est cité à la ligne suivante et justifie la théorie selon laquelle l'histoire du monde se déroulerait en sept millénaires. C'est une idée assez répandue qui semble remonter au judaïsme (cf. *II Hén.* 33, 1 ; STRACK-BILLERBECK III, 773-774). Sur ces conceptions, voir J. DANIÉLOU, « La typologie millénariste de la semaine dans le christianisme primitif », *VChr* 2, 1948, p. 1-16 ; P. VOLZ, *Die Eschatologie der jüdischen Gemeinde im neutestamentlichen Alter,* Tübingen 1934, p. 62 ; 143-144.

Sic ... cautum est. Cette façon d'annoncer une citation biblique apparaît trois fois dans le texte (p. 144, 15 (§ 6). 2.5 (§ 7)) et est totalement absente du *Commentaire sur l'Apocalypse*. *TLL*, s. v *caueo*, c. 640, 51 s. donne le sens de *confirmare*. Il y a là derrière une métaphore juridique : cf. Ps. Cypr., *Iud.* 1 (*CC* 3, p. 266, 15) : « ea quae testamento Patris sui cauta sunt ». Cf. aussi Lact., *I. D.* 4, 8, 6 (*SC* 377, p. 76, 18).

In oculis tuis. Contamination du *Ps.* 89, 4 (souvent cité très librement par les Pères) et de *II Pierre* 3, 8. Le même amalgame se retrouve chez Lact., *I. D.* 7, 14, 7 et 14 (*CSEL* 19, p. 629, 6 ; 630, 16) ; Hil., *Myst.* 1, 41 (*SC* 19 bis, p. 138) ; Ambr., *In Lc* 7, 7 (*SC* 52, p. 11) ; Gaud., *Tract.* 10, 14 (*CSEL* 10, p. 68, 97). Sur l'emploi de ce texte, voir *VP*, p. 108.

septem — oculos Domini. *Zach.* 4, 10, où les sept lampes placées aux extrémités des sept branches du chandelier figurent les yeux de Dieu. Texte invoqué également par Cypr., *Quir.* 1, 20 (*CC* 3, p. 20, 30). Ces sept yeux sont entendus de l'Esprit-Saint (*VP*, p. 118).

septimum milliarium — regnaturus est. Ce septième millénaire où le Christ règne avec les seuls justes (« cum electis suis ») précède le huitième, où a lieu le jugement (et donc la résurrection générale), et qui est le prélude de l'éternité. Sur le millénarisme de Victorin, voir *VP*, p. 264-267.

7. Septem ... caeli. Conception du cosmos souvent admise dans l'antiquité : W.H. Gundel, art. « Planeten », *PW* 20 [2], 1950, c. 2023-2024 ; H. Traub, art. « οὐρανός », *TWNT* 5, 1954, c. 511, 22 s. ; Orig., *Princ.* 2, 3, 6.

Verbo domini — eorum. *Ps.* 32, 6, selon les LXX. Verset invoqué par Théoph. A., *Autol.* 1, 7 (*SC* 20, p. 72) et surtout Irén., *Dem.* 5 (*SC* 406, p.90) pour montrer que la création est l'œuvre de toute la Trinité.

Hi septem spiritus. Selon l'interprétation que Victorin donne du Psaume, *caeli = uirtus eorum = septem spiritus* ; une autre interprétation y voit les anges : Faust., *Adu. Arian.* (*PLS* 1, 501). A chacun des sept cieux correspond un des sept noms de l'Esprit de

Dieu. C'est la transposition chrétienne de l'idée selon laquelle sept anges ou archanges correspondent aux sept sphères emboîtées du monde, comme déjà dans IRÉN., *Dem.* 9 (*SC* 406, p. 96). Sur ces conceptions, voir W.H. GUNDEL, art. « Planeten », *PW* 20 [2], 1950, c. 2023-2024 ; 2059 (*VP*, n. IV, 2, 123).

ut apud Esaiam. *Is.* 11, 2-3 est cité dans un texte qui n'est pas strictement identique à celui d'*In Apoc.* : on y lit *uirtutis* pour *fortitudinis*.

tonitrua mugiunt. MIN. FEL., *Octau.* 5, 9 (éd. Beaujeu, p. 7) : « *tonitrua mugire,* rutilare fulgora, fulmina praemicare ».

ignes conglobantur, trabes. SÉN., *Quaest. nat.* 1, 1, 2 (éd. Oltramare, p. 12-13) parle des *globi ignis* ainsi que des *trabes*.

comae. Au sens de comète (*TLL,* s. v. *coma,* c. 1752, 57).

inuicem uisitantur. Développement analogue sur la beauté effrayante des phénomènes célestes dans SÉN., *Epist.* 94, 56 (éd. Préchac-Noblot, t. 4, p. 82) : éclipses du soleil et de la lune (« *inuicem* obstantia »).

Auctori ... totius creaturae. Si les apologètes parlent déjà de la participation du Verbe à la création, il est plus rare à date ancienne qu'on applique au Fils le titre de Créateur du monde. Tertullien et Lactance réservent le terme au Père ; Victorin est ici proche d'IRÉN., *Haer.* 5, 18, 3 (*SC* 153, p. 244, 66). Sur le thème du Verbe créateur chez Victorin, voir *VP*, p. 236-237.

Eructatum est cor meum. *Eructare* est transformé en déponent, ce qui serait une forme archaïque selon un grammairien ancien : *TLL,* s. v. *eructare,* c. 825, 36. Le *Ps.* 44, 2 est généralement appliqué à la génération du Verbe depuis THÉOPHILE D'ANTIOCHE (*Autol.* 2, 10, 16).

primus factus — hominis. Contamination de *Col.* 1, 15 (où la tradition porte unanimement *primogenitus,* et non *primus factus*) et *I Cor.* 15, 45-47. Obscur à force de concision : le Christ est le premier (par qui tout a été créé) et le dernier (le second Adam, qui mène le monde au salut) ; cf. IRÉN., *Haer.* 3, 23, 1 (*SC* 211, p. 446, 18) : « par le *second homme*, il a ligoté le Fort. » Voir aussi ORIG., *In Joh.* 1, 108 et 1, 225 (*SC* 120, p. 116 et 170).

Hoc igitur uerbum — nomen habet. Le Christ porte, lors de la Création, sept noms (qui sont aussi ceux de l'Esprit de Dieu) et manifestent son activité créatrice. Cf. ORIG., *In Joh.* 1, 267 (*SC* 120, p. 192) ; 1, 125 s. (p. 126 s.) : le Verbe peut recevoir de nombreux noms manifestant divers aspects de son activité. Application au Christ des sept noms d'*Is.* 11, 2-3 dans ORIG., *In Is.* 3, 1 (*GCS* 33, p. 253, 12-30) ; 3, 3 (p. 257, 10 s.).

8. **septem cornula — septem spiritus.** Le premier groupe de cinq septénaires se rapporte à l'Esprit-Saint : sept cornes (*cornula* pour *cornucula*) de l'Agneau (*agnulus* pour *agnellus* : *Apoc.* 5, 6), image inspirée par celle des sept yeux de Dieu (*Zach.* 4, 10), laquelle est parallèle à celle de la pierre aux sept yeux de *Zach.* 3, 9 ; quant aux sept esprits et aux sept lampes brûlant devant le trône, elles proviennent d'*Apoc.* 4, 5 ; cf. VICT., *In Apoc.* 4, 6 ; 6, 4 : « donum Spiritus Sancti ». Sur le chiffre sept chez Victorin, voir *VP*, p. 117-119.

septem candelabra — septem diacones. Cinq figures de l'Église. Sept candélabres (*Apoc.* 1, 13.20) ; figure de l'Église dans VICT. *In Apoc.*, p. 48, 6-7. Sept brebis : le chiffre apparaît dans les rituels d'offrande (*Gen.* 21, 28 ; *Nombr.* 28, 11.19 ; etc.), sans être commenté par les Pères à date ancienne ; *ouicula* : cet hypocoristique est souvent appliqué à la brebis perdue de la parabole, figure de l'Église (Cf. M. DULAEY, « La parabole de la brebis perdue dans l'Église ancienne. De l'exégèse à l'iconographie », *REAug* 39, 1993, p. 3-22) ; l'image est probablement issue de l'iconographie (*VP*, n. II, 4, 40.). Les sept femmes d'Isaïe : *Is.* 4, 1, figure de l'Église selon VICT., *In Apoc.*, p. 54, 17, ainsi que les sept Églises auxquelles écrit Paul (p. 52, 10, § 7). Sept diacres : *Act* 6, 3 (exemple rarement utilisé dans les septénaires : cf. *VP*, n. II, 4, 41).

septem angeli — apud Danihelum. Cinq septénaires de couleur apocalyptique : sept est le chiffre de l'achèvement du monde comme il a été celui de la Création. Les trois premiers exemples viennent de l'*Apocalypse* (8, 1 ; 8, 6 ; 5, 1) ; la Pentecôte (fête des sept semaines) est une figure de la vie éternelle : J. DANIÉLOU, *Bible et liturgie*, Paris 1958, p. 436-448. Sur les 7+63 semaines de Daniel, voir *VP*, p. 118 et n. II, 4, 43.

apud Noe — Salomonis. Cinq septénaires parlant du salut dans l'Église. Sept paires d'animaux purs dans l'arche : l'arche figure généralement l'Église, et la présence dans l'arche signifie le salut déjà dans *I Pierre* 3, 20 (J. DANIÉLOU, *Sacramentum Futuri,* Paris 1950, p. 77-80). Les sept vengeances de Caïn : ce verset obscur était rapporté à la rémission des péchés (*VP,* n. II, 4, 48). La lampe aux sept orifices de *Zach.* 4, 2 est, comme le chandelier à sept branches avec lequel elle est souvent confondue, une figure de l'Église (*VP,* n. II, 4, 49). De même, la demeure de Salomon est une image de l'Église, et ses sept colonnes une figure de l'Esprit-Saint qui fait sa force (*VP,* p. 125).

9. **de inenarrabili gloria Dei et prouidentia.** Même admiration devant la *prouidentia* divine, perceptible dans les correspondances entre les événements de la première semaine du monde et ceux de l'Incarnation, dans PS.-CYPR., *Comput.* 19 (*CSEL* 3, 3, p. 266, 9).

reformauerit. Vocabulaire de la « récapitulation » irénéenne chez Tertullien (R. BRAUN, *Deus Christianorum,* p. 517-523). Sur la récapitulation chez Victorin, voir *VP,* p. 250-251.

natiuitate. Au sens d'Incarnation : R. BRAUN, *Deus Christianorum,* p. 319-321.

ea die Gabrihel. Parallèle antithétique entre l'obéissance de Marie et la désobéissance d'Ève : IRÉN., *Haer.* 5, 19, 1 (*SC* 153, p. 438-444) ; TERT., *Carn.* 17, 5-6 (*CC* 2, p. 905, 31).

euangelizasse. *TLL,* s. v. *euangelizare,* c. 1000, 5 s. : calque du grec. Cf. IRÉN., *Haer* 5, 19, 1 (*SC* 153, p. 248, 7) ;. 3, 16, 3 (*SC* 311, p. 300, 11) ; l'expression figure dans certains manuscrits anciens de *Lc* 1, 18 (*VP,* n. II, 1, 131).

inundasse. *TLL,* s. v. *inundare, c.* 248, 74 s. ; cf. TERT., *Apol.* 18, 2 (éd. Waszinck, p. 41), où il est dit des prophètes qu'ils sont « diuino Spiritu inundatos ». L'Esprit-Saint est souvent comparé à une eau qui inonde ou arrose (IRÉN., *Haer.* 3, 17, 2 = *SC* 211, p. 332, 35 ; CLÉM. A., *Paed.* 1, 28, 1 = *SC* 70, p. 162-163 ; voir aussi l'interprétation patristique de la rosée qui tombe sur la toison de Gédéon) ; mais il est aussi lumière, d'où le rapprochement établi avec le jour de la création de la lumière (sur l'Esprit-Saint comme lumière, voir P. SMULDERS, art. « Esprit », *DSp* 4 [2], 1961, *c.* 1273).

in carne esse conuersum. Le sujet est *spiritum sanctum,* qui désigne ici la nature divine en général et non la troisième personne de la Trinité.

in lacte ... in sanguine ... in carne. Victorin se représente la formation de l'embryon en trois étapes (lait, sang, chair) correspondant respectivement à la création des étoiles (analogie entre le lait et les rayons de lune ou la Voie Lactée chez les Anciens), à la création des vivants (le sang) et au modelage de l'homme à partir de la glaise. Une pareille conception ne paraît pas avoir de parallèle dans la médecine antique (cf. J.H. WASZINCK, art. « Embryologie », *RAC* 4, 1959, c. 1238-1242 ; F. KUDLIEN, art. « Geburt (medizinisch) », *RAC* 9, 1976, c. 35-43). Voir toutefois AUG., *Diu. quaest.* 83, 5 (*BA* 10, p. 158).

ea die natum esse Christum. La naissance du Christ, l'Homme par excellence, est située le sixième jour, jour où Dieu a créé l'homme. La même correspondance apparaît aussi dans des textes gnostiques : IRÉN., *Haer.* 1, 14, 6 (*SC* 263, p. 224, 145 s.). L'idée ne fait pas l'unanimité : Hippolyte et l'auteur du *Comput* pseudo-cyprianique situent la nativité au quatrième jour pour d'autres raisons symboliques : HIPP., *In Dan.* 4, 23, 3 (*GCS* 1, p. 242, 3) ; Ps.-CYPR., *Comput.* 19 (*CSEL* 3, 3, p. 266, 9 s.).

eadem die esse passum, qua Adam cecidit. Parallèle établi entre la mort (spirituelle) du premier Adam au jour de la chute, selon *Gen.* 2, 17 (« le jour où vous en mangerez, vous mourrez ») et celle du second Adam : IRÉN., *Haer.* 5, 23, 2 (*SC* 153 p. 290-294) ; cf. aussi TYCON., *Reg.* 5 (éd. Burckitt, p. 61, 25 s.). Selon Irénée et toute une tradition, probablement d'origine juive, la création ne comporte qu'un seul jour, et c'est ce jour-là qu'Adam naît, mange et meurt : STRACK-BILLERBECK III, 773-774 ; L. GINZBERG, *Die Haggada bei den Kirchen Väter*, t. 1, Amsterdam 1899, p. II-III. Même idée chez Jacques de Sarug : T. JANSMA, « L'Hexaemeron de Jacques de Sarug », *L'Orient Chrétien* 4, 1959, p. 42 : le sixième jour « fut pour Adam le commencement et la fin ».

qua lucem fecit. Le jour de la création de la lumière (premier jour) est à la fois celui de l'Annonciation et celui de la Résurrection ; le parallèle Annonciation / Résurrection se retrouve dans le *Fragment chronologique* (cf. p. 134).

Humanitatem — consummat. Victorin compte sept âges de l'homme, comme Hippocrate et Philon ; en réalité, les âges au sens propre du terme ne sont que ici que six, et il ajoute la naissance pour parvenir au nombre sept ; il s'inspire d'IRÉN., *Haer.* 2, 24, 4 (*SC* 294, p. 244, 143) ; 2, 22, 4 (p. 220, 104-105). Sur la partition des âges dans l'Antiquité, voir LEONHARD, art. « aetas », *PW* 1 ¹, 1893, c. 692-694 ; C. GNILKA, art. « Greisenalter », *RAC* 12, 1983, c. 996-1001.

humanitatem suam ... ostendit. Victorin choisit dans la vie de Jésus sept actes qui sont autant de preuves qu'il avait un corps comme le nôtre. La polémique antidocète et antignostique avait depuis longtemps établi des listes de ce type (cf. IRÉN., *Haer.* 3, 22, 2 = *SC* 211, p. 434, 31 s.).

super ceruicale — uentis imperat. Amalgame des textes évangéliques sur la tempête apaisée (*Mc* 4, 38 ; *Jn* 6, 18-19 ; *Lc* 8, 25). Après cet exemple de théophanie, Victorin accumule des miracles attestant la divinité de Jésus (comme dans les « sommaires » des évangiles : *Matth.* 11, 5 ; 15, 30-31). Cf. HIPP., *C. Nœt.* 18 (P. NAUTIN, *Contre les hérésies*, Paris 1949, p. 262-264) ; *In Ps.* (*GCS* 1, 2, p. 146, 5) ; TERT., *Apol.* 21, 17 (éd. Waltzing, p. 51).

10. **diei angeli duodecim.** Les anciens connaissent des anges des jours et des mois : *I Hén* 82, 11 ; CLÉM. A., Strom. 6, 143, 1 (*GCS* 52, p. 504) ; PS.-CYPR., *Centes.* (*PLS* 1, 61). Anges chefs des heures : J. MICHL, art. « Engel IV », *RAC* 5, 1962, c. 137-138.

testes dierum et noctium. Les heures sont là pour témoigner de l'œuvre de Dieu et sont assimilées aux patriarches et aux apôtres (c'est ainsi que le *Commentaire sur l'Apocalypse* interprète les vingt-quatre anciens devant le Trône, dont parle notre texte). Sur la symbolique des heures, voir J. DANIÉLOU, *Les symboles chrétiens primitifs*, Paris 1961, p. 139-142.

seniores — aliis angelis. Ces anges ont été créés au premier jour, quand Dieu a séparé la lumière des ténèbres (*Fabr.* 2). On se demande comment l'auteur harmonise ceci avec l'idée exprimée en *Fabr.* 4, que Dieu accomplit ses œuvres avant de créer les anges. Dans l'apocalyptique juive apparaît parfois l'idée qu'il y aurait eu des anges créés tout au début de la création : J. DANIÉLOU, *Théologie du Judéo-christianisme*, p. 139 ; J. MICHL, art. « Engel IV », *RAC* 5, 1962, c. 117. Dans *Jub.* 2, 3 (*La Bible, Écrits intertestamentaires*, A. Dupont-Sommer et M. Philonenko éd., Paris 1987, p. 641, n. 2), ces anges assurent dès les origines la louange de Dieu pour la création. L'assimilation des anges aux vieillards de l'*Apocalypse* est facilitée en grec par un jeu sur les mots : πρεσβεύτης, « ambassadeur » (nom donné aux anges par PHIL. A., *Gig.* 16) et πρεσβεύω, « être âgé » ; cf. J. MICHL, *Die vierundzwanzig Ältesten In der Apokalypse des heiligen Johannes*, München 1938, p. 93 et 42.

INDEX

I. INDEX SCRIPTURAIRE

L'astérisque signale les citations. *Hier.* 1 et 2 désignent respectivement le prologue et la finale de Jérôme. Les références à l'*Apocalypse* du *Commentaire sur l'Apocalypse* n'apparaissent pas dans cet index.

II. INDEX DES NOMS PROPRES

2x signifie deux fois dans le paragraphe.

TABLE DES MATIÈRES

SOURCES CHRÉTIENNES

Fondateurs : † H. de Lubac, s.j.
† J. Daniélou, s.j.
† C. Mondésert, s.j.
Directeur : D. Bertrand, s.j.
Directeur de la Collection : J.-N. Guinot

Dans la liste qui suit, dite « liste alphabétique », tous les ouvrages sont rangés par nom d'auteur ancien, les numéros précisant pour chacun l'ordre de parution depuis le début de la collection. Pour une information plus complète, on peut se procurer au secrétariat de « Sources Chrétiennes », 29, rue du Plat, 69002 Lyon (France), Tél. : 04.72.77.73.50, deux autres listes :

1. la « liste numérique », qui présente les volumes et leurs auteurs actuels d'après les dates de publication ; elle indique les réimpressions et les ouvrages momentanément épuisés ou dont la réédition est préparée.
2. la « liste thématique », qui présente les volumes d'après les centres d'intérêt et les genres littéraires : exégèse, dogme, histoire, correspondance, apologétique, etc.

LISTE ALPHABÉTIQUE (1-423)

SOUS PRESSE

BARSANUPHE et JEAN DE GAZA, **Correspondance**. Tome I.
P. de Angelis-Noah, F. Neyt, L. Regnault.
BERNARD DE CLAIRVAUX, **Lettres**. Tome I. M. Duchet-Suchaux,
H. Rochais.
CLÉMENT D'ALEXANDRIE, **Stromate VII**. A. Le Boulluec.
GRÉGOIRE LE GRAND, **Commentaire sur le Premier Livre des Rois**.
Tome III. A. de Vogüé.
JEAN CHRYSOSTOME, **Sermons sur la Genèse**. L. Brottier.
MARC LE MOINE, **Traités**. Tome I. G.-M. de Durand.
TERTULLIEN, **Le Voile des vierges**. P. Mattei, E. Schulz-Flügel.
THÉODORET DE CYR, **Correspondance**. Tome IV. Y. Azéma.

PROCHAINES PUBLICATIONS

APPONIUS, **Commentaire sur le Cantique**. Tome III. L. Neyrand,
B. de Vregille.
Les Apophtegmes des Pères. Tome II. J.-C. Guy (†).
BERNARD DE CLAIRVAUX, **Sermons sur le Cantique**. Tome II.
R. Fassetta, P. Verdeyen.
Livre d'heures ancien du Sinaï. M. Ajjoub.
SYMÉON LE STUDITE, **Discours ascétique**. H. Alfeyev, L. Neyrand.

RÉIMPRESSIONS PRÉVUES EN 1997

5 bis   DIADOQUE DE PHOTICÉ, **Œuvres spirituelles**. É. des Places.
10 bis   IGNACE D'ANTIOCHE, **Lettres – Lettres et Martyre** de
         POLYCARPE DE SMYRNE. P.-T. Camelot.
33 bis   **A Diognète**. H.-I. Marrou (paru).
35   TERTULLIEN, **Traité du baptême**. R.-F. Refoulé, M. Drouzy.
53 bis   HERMAS, **Le Pasteur**. R. Joly (paru).
208   GRÉGOIRE DE NAZIANZE, **Lettres théologiques**. P. Gallay.
285   FRANÇOIS D'ASSISE, **Écrits**. T. Desbonnets, J.-F. Godet,
         T. Matura, D. Vorreux.
296   ÉGÉRIE, **Journal de Voyage**, P. Maraval (paru).
325   CLAIRE D'ASSISE, **Écrits**. M.-F. Becker, J.-F. Godet, T. Matura
         (paru).

Également aux Éditions du Cerf

LES ŒUVRES DE PHILON D'ALEXANDRIE
publiées sous la direction de
R. Arnaldez, C. Mondésert, J. Pouilloux.
Texte original et traduction française.

ACHEVÉ D'IMPRIMER
SUR LES PRESSES DE
L'IMPRIMERIE   CHIRAT
42540 ST-JUST-LA-PENDUE
EN JUIN 1997
N° D'ÉDITEUR : 10578
DÉPÔT LÉGAL 1997 N° 3501

IMPRIMÉ EN FRANCE

DATE DUE

			Printed in USA